憲法の焦点

PART 2・憲法訴訟

―芦部信喜先生に聞く―

有斐閣リブレ

〔目　次〕

目次

●トビラ裏や写真説明の事件・判決に付した番号は、本文中の行間の番号に合わせてあります。なお、事件・判決の解説は、有斐閣編集部で作成したものです。

▨ 対談者紹介 ▨

芦部信喜先生

一九二三年九月一七日、長野県駒ヶ根市に生まれる。一九四九年、東京大学法学部卒業。前東京大学教授、学習院大学教授。

(主要著書)『憲法と議会政』東京大学出版会、一九七一年。『憲法訴訟の理論』有斐閣、一九七三年。『現代人権論』有斐閣、一九七四年。『憲法Ⅱ人権(1)』(編著)有斐閣、一九七八年。『憲法Ⅲ人権(2)』(編著)有斐閣、一九八一年。『憲法訴訟の現代的展開』有斐閣、一九八一年。『演習憲法』有斐閣、一九八二年。『司法のあり方と人権』東京大学出版会、一九八三年。『憲法制定権力』東京大学出版会、一九八三年。

学　生

岩東完治(いわとう　かんじ)

一九六一年生まれ、土浦第一高等学校卒、早稲田大学法学部。

加賀美正人(かがみ　まさと)

一九六二年生まれ、慶応義塾高等学校卒、慶応義塾大学法学部。

村山　永(むらやま　ひさし)

一九六〇年生まれ、山形東高等学校卒、東京大学法学部。

山田　穣(やまだ　みのる)

一九六一年生まれ、修猷館高等学校卒、中央大学法学部。

第1章　憲法訴訟論の構造

トビラ写真――憲法訴訟の歴史を作ったアメリカ合衆国最高裁判所〈ワイド・ワールド・フォト（WWP）提供〉

I　憲法訴訟論の体系的位置付け

●憲法訴訟の問題は、憲法の基本と組み合わせて考える

村山　本日は憲法訴訟の問題についてお伺いしたいと思います。まず最初に、憲法訴訟論の総論的なことについて、加賀美さんからお願いいたします。

加賀美　憲法の勉強を始めた頃、憲法訴訟の問題の比重があまりにも大きいので驚きました。教科書をみても、かなりの部分を占めていますし、特に人権論との関係では、憲法訴訟論は避けて通ることのできないものとなっています。ところが、一般の教科書などでは、それがなぜ重要で、憲法学のなかでどのような意味をもつのか、すっきりと整理されていません。そこで、憲法訴訟論の、憲法学全体の中での位置づけ、それがこのように重要になってきた背景、またそれを学ぶ上での姿勢についてお伺いしたいのですが。

芦部　いま言われたとおり、最近、憲法訴訟に対する関心が、学生諸君の間でも大変に高まってきましたし、憲法学の研究者の間でも、特に若い層の中に意欲的に取り組んでいる研究者が少なくありません。諸君もそういう方々の論文などを読まれたかと思います。

テキストブックでも、かなり細部にわたって憲法訴訟の問題が最近では扱われるようになってきております。その際、例えば、アメリカの訴訟法上のかなり技術的な当事者適格の問題とか、訴えの利益の有無に関するムートネス*（mootness）の問題とかいう所まで、教科書で触れられるようになってきているのですが、こういう問題は、確かに、憲法訴訟論の中で大変重要な、また、興味深い論点でもあるのですけれども、こういう一種の技術論的な問題に、あまり学生諸君が時間を奪われて、そちらだけに憲法訴訟の関心を持つようになることには、問題があると私は思うのです。つまり、そういう技術的な細かな憲法訴訟の手続論を、憲法の基本と組み合わせて、それと関連させて勉強することが必要だと思うわけです。そういう意味で、いまの質問にあった、憲法訴訟の憲法学における位置付けというものを、まず最初に考えることが必要だと思います。

* 判決の結果に当事者が利益をもたなくなった場合をいう。芦部信喜『憲法訴訟の理論』（有斐閣）五七頁・三四二頁参照。

●第二次大戦前の大陸における憲法思想

芦部　憲法訴訟の問題を考える場合に、いろいろな考え方があるわけですが、憲法訴訟を憲法保障という一般論との関連で考えていくことが、一番重要な論点の一つではないか、と私は思います。十九世紀から二十世紀初期にかけて活躍したドイツのゲオルグ・イェリネック（G. Jellinek）の『一般国家学』という本が翻訳*で出ておりますが、その最後に「公法の保障」という有名な章があり、そこで、公法を保障する類型として、社会的保障、政治的保障、法的保障の三つが挙げられています。その法的保障は、「客観的法の保障」と「個人の権利の保障」の二つに大きく分けられ、そのどちらに優越性を与えるかということが問題だ、というようなことが書かれているのです。その二つについて、イェリネックは、統制――これはコントロールという意味でしょう――と、個人的責任、裁判、法的救済の四つを挙げています。そのうち裁判については、当時はまだ行政訴訟がそれほど発達していない段階だったのですが、行政訴訟に大変重要性がある、というようなことを指摘しております。

ただ、この時代、つまり、第二次大戦前のドイツの憲法学では、憲法と法律の質的な区別が、それほど明確に制度化されていなかったんですね。これは、憲法も「立法の方法によって改正できる」という憲法規定に端的に表れていた思想ですが、要するに、憲法というものは、法律よりも特別に難しい手続でなければ改正できない、という点で法律と違うだけである、そういう、形式的な改正の難易という点に違いがあるだけで、憲法も広い意味の法律である、というふうに考えられていたわけです。

また、これは、ヨーロッパに一般的な考え方ですが、権力分立が、歴史的ないろいろの理由から、立法権中心に構成されておりました。ですから、そういうこともあって、イェリネックは行政裁判などに注目し、裁判による公法の保障を一つの憲法保障の類型として挙げているのですが、その場合、裁判による憲法の保障といっても、最近言われる憲法訴訟とか、憲法裁判とか、そういう意味の憲法保障制は、実定法もそうなっていなかったし、当時の学者は考えなかったのです。考えたにしても、それは非民主的であるとして否定する考え方が支配的でした。特に、フランスのように、裁判官が大革命以来、保守的な役割を演じてきた国では、いっそう、そういうふうに考えられていた、と言えます。

＊ 芦部信喜・阿部照哉・和田英夫・小林孝輔ほか共訳（学陽書房）。

●英米における「法の支配」の思想

芦部 一方、アメリカでは、ヨーロッパ大陸の憲法思想とは非常に違って、いわゆる憲法の最高法規性の観念が確立しておりました。これは、自然権思想がその背景にあったことによるわけですが、その結果、憲法が通常の法律と、ただ形式的に違うだけではなく、実質的な意味において違う、というふうに考えられていたのです。この背後にはイギリスの「法の支配」の考え方がありますし、より直接的には、いま述べた自然権の考え方がきわめて重要な意味をもったと思います。

また、これも歴史的な沿革がヨーロッパとは違って、権力分立は立法権中心ではなく、立法・司法・行政三権の憲法の下における併存という形で構想されました。ですから、よく学者が、ヨーロッパの権力分立は民主主義的な理解であるのに対して、アメリカの権力分立は自由主義的な理解である、という趣旨のことを言いますが、それは、いま述べたような違いを一層明らかにする意味で、適切な表現だと思います。

●第二次大戦後の大陸における憲法思想の変化と特徴

芦部　このように、ヨーロッパとアメリカとは非常に違っていたのですが、戦後になってヨーロッパでも、いまお話したような戦前の形式的な法治主義の考え方が捨てられ、実質的法治主義という思想が憲法論の一つの中心に据えられることになりました。この思想は、人権を立法権を含むあらゆる国家権力によっても侵されない、という形で保障するという、戦後の新しい実定憲法と対応しているわけです。その結果、憲法の最高法規性という考え方も、戦前と違って、実質的にとらえられるようになりました。

芦部信喜先生

その意味で、戦後の、特にドイツを中心とするヨーロッパ大陸の憲法学は、英米の「法の支配」と同じ思想を基本に置くようになりましたので、先程、イェリネックを例に挙げて言いました裁判による法の保障ないし権利の保障が、合憲性審査による憲法の保障、という意味を含むようになってきたのです。

ところが、依然としてヨーロッパでは、伝統的な意味の司法を、アメリカ法のように、憲法の下で立法・行政と平等に並立する、という形でとらえる考え方が成熟していませんでしたので、ドイツの場合は、特別の憲法裁判所（Verfassungsgericht）で違憲審査を行うという制度が定められたし、フランスの場合には、第四共和制憲法では Comité constitutionnel, 第五共和制憲法では Conseil constitutionnel という制度、日本では前者は憲法委員会、後者は憲法院とか憲法審査院または憲法評議会と訳されていますが、そういう一種の政治的機関によって違憲審査を行う、という制度をとることになったわけです。このように、制度は違いますが、とにかく憲法の保障を、これは外国のある有名な学者が言っていることですが、司法主義（judicialism）という考え方によって行う、それが第二次大戦後のきわめて大きな特徴になったと思うのです。

●憲法訴訟は、憲法の最高法規性を確保する手段として確立してきた

芦部　ところが、日本は、憲法制定のいきさつから言うまでもないことですが、アメリカ法的な考え方を継受しておりますので、憲法八一条で司法審査制を明文で規定したわけですけれども、その違憲審査は、アメリカ型のいわゆる付随的違憲審査である、と一般に考えられております。

ヨーロッパでは、戦前は、日本の明治憲法の場合もそうですが、人権は法律によって保障すればよい、法律によって保障すれば十分である、というふうに考えられておりましたし、そもそも国民の権利・自由は国家によって与えられた権利であり、自由である、というふうに考えられていたわけですね。それが日本国憲法では、これはヨーロッパもそうですが、全く変わって、あらゆる国家権力によって侵されない人権というものが保障される、つまり国民の権利・自由は法律によって保障されるのではなく、むしろ、法律から保障されるというか、保障されなければならない、というふうに考えられるようになったわけです。

そういう意味で、いまお話したとおり、日本国憲法を含めて多かれ少なかれ西欧型立憲主義の憲法に広く共通すると思うのですが、憲法のいわゆる実質的最高法規という考え方が戦後確立し、それに伴って憲法訴訟、憲法裁判が、その最高法規性を確保する手段として、非常に重要な役割を持つようになったわけです。ほかに保障の仕方としては、政治的に保障するとか、もっと広く社会的に保障するとか、いろいろ手段はあるのですが、それらの手段と一段と違って、広い意味の司法によって保障する制度が確立したわけで、そこに戦前および戦中のナチズム、ファシズムの苦い経験が生かされている、ということも言えます。この問題には以上のような沿革があることに、まず注意しなければならない、と思います。

そこで、次に具体的に問題を考える場合に一番重要なのは、イェリネックも二十世紀の初めに指摘していたことですが、「客観的法の保障」か「個人の権利の保障」か、という問題です。要するに、憲法保障の主眼は、個人の権利の保障を通じて憲法全体を保障することなのですが、その場合にどちらにどの程度の重点を置くか、また、どちらにどの程度の重点を置くような形に戦後諸国の違憲審査制が発展してきたか、それが問題になるわけです。

II　憲法訴訟論の全体的枠組み

●憲法訴訟は民主主義の原理と矛盾しない

加賀美　したがって、具体的な憲法判例を検討してみることが重要になるわけですね。そこで、踏まえておかねばならない問題がもう一つあると思います。それは、裁判所は非民主的な法原理部門であって、立法、行政などの民主的な政治部門と違い、数の論理には従わないという点です。つまり違憲審査権は、裁判所の構造が民主主義的でない点に注目して、司法府に与えられた権能であると言えます。そうしますと、むやみにその権能を行使して、民主主義を否定するような結果を招いてはならない、法令はできるだけ合憲・有効なものとして扱うべきだ、ということになり、これが一般の理解だと思うのです。

ところが芦部先生は、違憲審査権はかえって民主主義的な制度であると書いておられ、そこから、裁判所には時には積極的な姿勢が必要であると結論されておられます。その趣旨はどのようなことなのでしょうか。

芦部　いま戦前から戦後にかけての違憲審査制の発展の概略をお話した際にも触れたのですが、違憲審査制は、要するに、人権の保障のための手段なのですが、人権は、言うまでもなく、思想的には自由主義に基づくものです。ところが、自由主義は、民主主義と切り離された形で考えられるかと言うと、これは、民主主義をどう理解するか、ということにもよるわけですが、いま加賀美君が言われたように、民主主義を、一種の多数者支配的民主政という観点から考えると、確かに戦前のヨーロッパ、特にドイツやフランスで考えられていたとおり、裁判所の違憲審査制は議会の作品である法律、つまり、最も民主的な、国民を代表する機関の制定した法律を、少数の裁判官が違憲・合憲という形で判定する、特に違憲という形で効力を否認する、ということになるわけですから、これは非民主的だ、というふうに考えられるのは当然だと言えます。

しかし、これはナチスの時代に非常に議論になったことですが、そもそも、民主主義が自由主義と切り離された形で存在し得るか、という問題があるのですね。つまり、民主主義というのも、個人の尊厳の原理から発する、そういう立憲民主主義という形でとらえていかなければならないのではないか、こういう考え方が一方で非常に有力に主張されて今日に至っているわけです。

ですから、これは、民主主義をどうとらえるか、という問題にもなるわけですが、私がいままで言ってきたのは、民主主義は、自由主義と切り離されてはならない、そういう単純と言えば単純な、基本的な考え方から出発しているものですから、確かに、国民の代表者の制定した法律を、違憲・合憲と判断するのは、そのこと自体、民主政の原理から言うと、必ずしも一〇〇パーセント適合的というふうには考えられない、と思うのですね。ただ、デモクラシーを自由主義、立憲主義、法の支配というものの基礎の上に成り立つ原理だと考えますと、多数者の制定した法律であっても、それを否認することによって、少数者の権利を保障していく、そこにデモクラシーの核心的な一つの部分、原則があるのではないかということになりましょう。ですから私は、違憲審査制ないし広い意味の憲法訴訟は、決して民主主義とは矛盾しない、というふうに考えているわけです。ただ、そう考えたからといって、違憲審査には一定のルールがありますから、裁判所がむやみに権能を行使することを認めるわけでは、もちろんないのですね。

山田 いま先生が言われたことを、私なりにまとめてみたのですが、結局、民主主義と呼ばれる多数者支配というものは、その根本においては、多数者が決定権を握るということになるのですが、多数者が決めたからといって、少数者を切り離すということであれば、それはもう、多数者支配自体が成り立たない、裁判所が法の支配にのっとって、少数者の権利保護をなすことが民主主義である、そう理解してよろしいのでしょうか。つまり、民主主義に適合する、その根本にあるものは、結局、近代以降の個人の尊重の原理である、だからこそ、裁判所が憲法を保障することによって少数者の権利も保障する、そういうふうな理解の仕方でよろしいのでしょうか。

芦部 その側面については、そういうふうに考えてよいし、私もそう考えているのです。

●憲法の最高法規性をどこに求めるか

山田　先程の憲法の実質的な最高法規性を保障する、という問題にもどるのですが、これは、憲法の形式的な最高法規性、つまり、法体系の中で憲法が最高位に位置することとは別に、憲法自体に内在する理念を最高価値として認識する、ということと見てよろしいのでしょうか。

芦部　これは、日本の憲法の解釈論の問題でもあるのですが、先程お話したとおり、戦前の憲法学の一つの大きな特徴は、憲法と法律の違いを、中身の違いではなく、改正する場合に特別多数決によらないで改正できるかできないかという形式に求め、手続が加重されている点に憲法の最高法規たる所以を見出して、そこで違いを議論してきたわけです。それが、形式的最高法規性ということです。

しかし、それは、確かにそのとおりなのですが、では、なぜ、憲法がそのように形式的効力の点で法律に優るかと言うと、これは、戦後の日本の憲法について考えれば分かると思うのですが、あらゆる国家権力によっても侵されない、という形で国民の権利・自由が保障されているからなんですね。そこに法律と違う最高法規としての資格がある、というふうに考えなければならない、と思うのです。

つまり、明治憲法の場合ですと、法律によれば権利を制限することができる、これは、法律の留保の規定から明らかですね。ですから、明治憲法の「臣民の権利」というのは、立法権から保障されていなくて、先程説明した法律による権利の保障という考え方に立っていたわけです。明治憲法時代は、美濃部先生の教科書にも書かれているとおり、憲法と法律の違いは、改正の手続が難しいか易しいか

山田穣君　　村山永君

による違いで、いずれも国家の最高の意思の表明である点では変わりはない、というふうに説かれていたのです。

しかし、現行憲法の下では、両方とも確かに国家意思ないし国民意思の表明ではあるのですが、憲法がなぜ法律よりも上位にあるかと言うと、それは、改正の難易という形式的な手続の違いではなく、改正がなぜ難しくなっているかという実質的な根拠が違うからなんですね。実質的な根拠を考えてみると、それは明治憲法と全く違って、立法権によっても奪うことのできない権利・自由を憲法は保障している。そういう実質的な違いが、憲法と法律との間にはあるわけです。

●違憲審査のデモクラシー適合性をどこに見出すか

山田　そういう実質的理由があって、憲法の下に国家権力があり、その下に法律がある、というふうな構造をとっている、ということになるわけですか。

芦部　そうです。それともう一つ。先程の民主主義の問題を考える場合には、戦後の社会の構造というものも、非常に大きな意味を持っている、と思うので、その点少し付言しておきたいと思います。これは、前回（『憲法の焦点』PART１）人権の問題を扱った際にも触れたことですが、簡単に言えば、現代社会は資本主義が非常に高度化した社会ですから、図式的な言い方ですけれども、種々の利益の対立ないし階級対立というものもあるし、最近使われる言葉で言えば、価値観が多元化した社会ですね。そういう社会で国民代表を考えたときに、国会に国民のそういう多元化した価値が公正に反映されるかどうか、という問題があるのです。そこで、日本国憲法四三条の国民代表を考える場合でも、戦前のように十九世紀、二十世紀初頭の図式的なデモクラシー観ではなく、国民代表というものを、もっと実質的に考えていく、つまりフランス憲法学でいう半代表とか、社会学的代表とかいうような考え方ですね。それはドイツでも日本でも言われることですが、そういう代表の実質化という問題もあるわけでしょう。それが、先程のデモクラシーと違憲審査制との関係にもなるわけですね。つまり、そういう国会というものを前提にして、司法の在り方を考える、そうすると、違憲審査もデモクラシーに適合するのではないか、ということになるわけです。

山田　前回から疑問に思っていた問題があります。先生が、社会学的に考えて代表という概念を、国民意思のできるだけ明確な反映を目指すものと言われたのですが、その場合の国民の概念についてお聞きしたいと思います。

選挙というものによって代表が選ばれるわけですから、そこにおいて実質的に表れているものは、有権者の意思であるというふうに考えられるわけですね。その有権者の意思を、そのまま国民の意思とする。擬制を何とかして解消しようとして、半代表などの問題が起こると思うのです。その場合における国民の概念というのを、どういうふうに考えればよいのか、という点はどう解決すればよろしいのですか。

芦部　いま言われた半代表の概念や制度は、国民と有権者との意思の不一致を解消するために生まれたのではなくて、先程お話したとおり、社会が複雑になり、価値観が多元化してきたのに、その多元化した有権者の意思が国会にそのまま反映しないという実態を踏まえて出てきたのですね、代表の問題を考える場合に。ですから、いまの質問は、その点がずれていると思うのですが、ただ、国民と有権者との関係をどう考えるかという点については、大体どこの国でも、できるだけ有権者の範囲を広げることによって、国民と有権者のそれぞれの多様な各種の意見が少なくとも比率的には同じになるような形にする、ということに建前上はなっているのです。ですから、これは、国民主権の問題になるわけですね。私は国民主権にいう国民は全国民と解してよい、というふうに考えています。ただ、そういう考え方は、確かにフランス憲法学の「国民主権《ナシオン》」論に近いものですから、「人民主権《プープル》」論の一環として議論されてきた半代表の考え方とは結びつかないという批判もありますが、私は社会学的代表という観念をそういう「人民主権」論としか結びつかない観念と考えているわけではないのです。

●基本的なポイントは付随的違憲審査制にある

岩東　憲法訴訟が重要だと言われるので、よく勉強するのですが、もうひとつ、全体的な構造がよく分からないのです。大きくは、訴訟要件の問題と、実体判断の問題と、判決の問題があると思うのですが、個々的な問題になると、例えば、憲法判断を回避するかどうか、統治行為を適用するかどうか、あるいは立法の不作為が違憲となるか、法令違憲か限定解釈か、適用違憲か、どれをどのように選ぶかの判断などを、どの辺に位置付けたらよいのかよく分からないのですが。

芦部　ご存じのとおり、憲法訴訟と言っても、憲法訴訟法があるわけではないので、一般の民事訴訟とか、刑事訴訟とか、行政訴訟のように、一つの体系的な形で憲法訴訟論を構成することは大変難しいし、人によってかなり違いが出てくると思うのです。ですから、いま挙げられたような問題点は、考えられる重要な項目ですが、ただ、その枠組みと言いますか、構造を考える基本的なポイントは、日本の違憲審査制度が付随的違憲審査制である、ということですね。

付随的違憲審査制だと、その事件を解決するために必要な限りでの憲法判断、ということになりますから、当然に、いわゆる必要性のルールが基本になるわけです。このルールによれば、事件の解決に必要な限りでの憲法判断を行う、それ以上余分なことを行うことは、むしろ付随的違憲審査制だと許されない、ということになります。それが、一つの原則になるわけですね。

ところが、二十世紀の初頭のころから、憲法裁判は、イェリネックが説いているように、個人の権利の保障と、もう一つ、それを通じて客観的法の保障を行わなければならない、ということが言われるようになったのです。特に、ヨーロッパ大陸型の憲法裁判の場合ですと、憲法の保障という問題が中心になるわけです。しかし必要性のルールを原則とする付随的違憲審査制の場合でも、個人の権利の保障と立憲民主制の保障というもう一つの役割との間で、二つのかね合いをどういうふうに考えていくかということが、いろいろ項目を挙げることも大事ですけれども、基本的な枠組みを考えるときの最も重要なポイントになってきたわけです。

●訴訟のプロセスをどのように捉えるか

芦部　それを前提にして憲法訴訟の構造を考えてみますと、まず訴訟ですから、最初の入口の所で、当然、一般の訴訟と同じように、ジャスティシアビリティー（justiciability）の問題があります。これが一つ基本的論点になるわけです。当事者適格とか原告適格の問題、訴えの利益の問題、そして、アメリカ法で言えば成熟性の問題、ムートネスの問題とか、政治問題、そういう広い意味でのジャスティシアビリティーの問題がそれです。岩東君の言われた訴訟要件の問題ですね。

それから次は、実体判断に入ることになってから、憲法判断の方法の問題があるわけでしょう。その場合、憲法訴訟ですと、ほかの訴訟と違って、合憲性推定という問題があります。それと関連して、

憲法判断をどういう手法で行うかという問題、すなわち、事実判断のアプローチをとるかどうか、つまり立法事実(legislative facts) という一般的事実を検証する憲法判断をするか、それとも、そうでなくて、文面判断で憲法問題を審査するかという、そういう憲法判断の方法の問題が第二の問題としてありますね。

そのときに、憲法訴訟で一番重要なのは、立法事実論をどう位置付けるのか、文面判断の手法は、一体、どういう場合に行うことができるのか、というような問題ですが、そのほか、文面判断と絡んで用いられる可分・不可分の理論の問題とか、法令全体を争えるかとか、最高裁判所の段階になって、これは第一のジャスティシアビリティーの問題にも関連しますが、原審で争わなかった憲法問題を提起できるかどうかとか、そういう手続上の論点*もあります。

次に、どういうことを判断するかという、判断の対象の問題があるわけです。日本の場合ですと、条約が違憲審査の対象になるかどうかという問題が、その典型的な例です。

それと、違憲判断審査の方法の問題として、憲法判断回避とか、これが最初に述べた必要性のルールとどうかかわってくるか、憲法保障の方に重点を置くかどうか、そういうことも、論点の一つになります。

そして、人権に関する事件では、それぞれの人権についてどのような違憲審査基準が妥当するのか、という問題がきわめて重要な課題です。後は、判決の仕方、つまり法令違憲か適用違憲かという問題、法令違憲の際に文面判断のアプローチと結びついてよく用いられる文面上無効（void on its face）という判決の問題とか、判例をどう考えるかという問題、更に広く、司法の在り方をどう考えるか、例えば、司法の政策形成機能や、司法積極主義ないし消極主義をどう考えるかという問題、そういうような問題点が憲法訴訟で扱われる論点**になるのです。

どういうアプローチや判決方法をどのように選ぶかは、ここで簡単に図式化して説明できませんので、それぞれの論点について、皆さん方で各自もう少し立ち入って勉強して下さい。

* 芦部信喜『憲法訴訟の理論』（有斐閣）一六七頁以下参照。

** 芦部信喜『憲法訴訟の現代的展開』（有斐閣）一八頁以下・一四一頁以下、同『司法のあり方と人権』（東京大学出版会）参照。

●個人の権利の保障があって憲法の保障は成り立つ

山田　憲法保障と人権保障の関係ですが、人権保障があってこそ憲法は保障される、というのが筋だと思うのです。人権保障のために憲法保障があって、立憲民主制が保障されるのだと思いますが、その点に関して先生のお考えをお聞きしたいと思います。

芦部　客観的法の保障とか憲法の保障、それと対比する形で個人の権利の保障、ということをお話したので、あれか、これかのように受け取られたかも知れませんが、もちろん、そうではないわけで、憲法の保障、客観的法の保障というのは、主として個人の権利の保障を通じて行われる、ということになるわけですから、個人の権利の保障があって憲法の保障は成り立つ、ということですね。

ただ、若干対比したのは、違憲審査の場合に、個人の権利の保障を通じて広く憲法を保障するという意味が非常に大きい、ということを注意してほしいと思ったからです。イェリネックも書いているように、どちらに重点を置くかということが重要で、いま挙げた憲法訴訟のいくつかの問題点を全体の構造の中に位置づけようとする場合に、例えば、ジャスティシアビリティーをどう考えるか、憲法判断回避の問題をどう考えるか、判決の効力をどう考えるか、そういう問題点を、違憲審査制には二つの大きな機能があるのだということを考えて検討しないと、必要性のルールだけが基本に置かれ過ぎると言うか、それに寄りかかり過ぎるような憲法訴訟論になる恐れが出てくる、ということです。

第2章　当事者適格

静かに〝上告棄却〟

田中長官、最後の法廷

開廷中に異例の撮影

最後の判決を行う田中最高裁長官（上段の中央）

（1）**第三者所有物没収に関する昭和三五年大法廷判決**（トビラ写真——田中耕太郎最高裁長官の最後の法廷姿・毎日新聞社提供）

被告人らは、アメリカ統治下の沖縄へ木材・雑貨品等の密輸出をはかり、関税法違反で逮捕された。一審・二審とも有罪、貨物および機帆船は没収された。被告人らは、貨物の一部および機帆船は第三者の所有物であるのに、この善意の第三者に没収手続への参加の機会も与えず、その財産権を没収するのは憲法三一条に違反する、と主張して上告した。

最高裁大法廷（昭和三五・一〇・一九刑集一四・一二・一五九四）は、「訴訟において、他人の権利に容喙干渉し、これが救済を求めるが如きは、本来許されない」、被告人らは本件没収につき違憲の主張をすることはできない、と判示した。

（2）**第三者所有物没収に関する昭和三七年大法廷判決**

憲法三一条の適法手続の内容と、違憲主張の当事者適格が問題となった事件である。

被告人らは、韓国への密輸出を企てたが、しけのため目的を達せず、海上警ら中の門司水上警察署員に逮捕された。一審・二審とも関税法違反の未遂として有罪、機帆船および貨物は没収とした。しかし、貨物の中に第三者の所有物が混じっていたため、被告人らは、その所有者に財産権擁護の機会を与えずに没収したことは、憲法三一条・二九条に違反するとして上告した。

最高裁大法廷（昭三七・一一・二八刑集一六・一一・一五九三）は、①所有者に告知・弁解・防禦の機会を与えずになした没収は、憲法三一条・二九条に違反する、②没収は被告人らに対する附加刑であり、被告人らは占有権を喪失し、所有者から賠償請求権等を行使される危険がある、などを理由に、被告人らに第三者の権利侵害を援用して違憲を主張する当事者適格を認めることができる、と判示し、前掲注（1）の昭和三五年判決を変更した。

I　当事者適格の判断基準

●当事者適格の自由化の背景にあるもの

村山　では、次に当事者適格の問題に移りたいと思います。

岩東　当事者適格を広げる方向に判例・学説が動いているように思いますが、その根本には、どのような背景があるのか、あるいは、どこまで広げてよいのか、判断の基準は何に求めればよいのかというような問題と、それから当事者適格が問題になるのは、付随的審査制が前提になると思われますが、一般に、付随的審査制をとった場合には、法律をもってしても抽象的審査制をとることはできない、と言われていますが、このことと、当事者適格を広げたり、あるいは、客観訴訟のような法制度を認めたりすることとの関係は、どのように考えればよろしいのでしょうか。

芦部　当事者適格という言葉は、二つ意味があります。一つは、訴訟要件としての当事者適格ということ。もう一つは、憲法訴訟で一番問題になるのですが、訴訟要件が具備した場合に、具備してなおかつ、例えば、第三者の権利を主張できるかとか、あるいは、自己に関係する条文だけでなしに、法律全体を争うことができるかとか、そういう意味の憲法訴訟にいわば特有の当事者適格の問題です。

いまの質問は、第一の意味の当事者適格が中心になっていると思うのですが、それは、行政訴訟にも通ずる問題ですが、裁判による権利の保障という、広く言えば、そういう所に根拠があると思うのです。つまり、憲法訴訟の場合ですと、付随的違憲審査制であっても、権利の保障を通じて憲法を保障していくという、そういう広い使命と言いますか、役割が違憲審査制に期待されているとすれば、伝統的な意味の訴訟要件で限定してしまって、入口ではねてしまうのは適切でない。そこで、できるだけ訴訟要件を緩和していくという、そういう考え方で当事者適格の自由化、アメリカ法で言えばスタンディング*(standing)の自由化という傾向が、戦後、特に一九五〇年以降、判例に顕著に見られるようになってきたし、日本の場合も、先程お話したとおり憲法訴訟は、形式的には行政訴訟・刑事訴訟・民事訴訟という形で行われるわけですが、行政訴訟の場合ですと、行政事件訴訟法に言う原告適格要件の緩和ということですね。そこで、行政事件訴訟法九条の解釈で権利侵害というのは、伝統的な意味の権利の侵害に限定されないで、法律によって保護された利益の侵害で足りるとか、更に進んで、法律による保護に値する利益の侵害でも足りるとか、そういう形で、広い意味の訴えの利益が緩和されてきたわけです。ですから、簡単に言えば、裁判による人権ないし権利の保障、そういう考え方が背景にあると思います。

* 日本の当事者適格、原告適格に当たる概念。芦部信喜『憲法訴訟の現代的展開』(有斐閣)六〇～六一頁参照。

●当事者適格の自由化の限界は

芦部　ところが、どこまでそれを広げてよいかと言うと、これは、付随的審査制という大きな枠組みがあるわけですから、それによって制約されると思うのです。付随的違憲審査制は、日本の場合ですと、裁判所法三条で定められているとおり、「法律上の争訟」という前提があります。これは「具体的事件性」とも言われる枠です。したがって、法律上の争訟の枠組みを逸脱するような形にまで当事者適格を広げる、自由化するということは、現在の司法権の考え方と判例、学説から言えばできない、ということになると思うのです。そういう枠があります。

また、日本は、大陸法的な考え方が戦後も残っておりますから、アメリカのスタンディング理論のように、訴訟要件を「事実上の損害」(injury in fact) で足りるというような所まで広げると言うか、緩和してしまうことはできない。先程の行政事件訴訟の場合でも、保護に値する利益という所まで緩和してしまう考え方は、判例はとっていないし、学説でも、それほど多数説になっていないのです。やはり日本では、権利侵害の要件があくまでも原則になっていると思います。

ただ、少なくとも、違憲審査制の憲法保障の役割ないし意義を考えると、入口の所で、伝統的な訴訟法理論で説かれているような権利侵害の要件をあまり厳格にするのは望ましくないし、当事者適格の要件をかなり広げても、司法権の概念に矛盾することはないのではないか、というふうに私は思うのです。ですから、行政事件訴訟の場合でも、法律上の保護に値する利益の侵害があれば、そこまで広げることは可能だと思います。

それから、客観訴訟を認めることが、司法権の概念ないし法律上の争訟の建前と矛盾するかと言うと、伝統的な概念から言えば、確かに結び付かない面もあります。しかし、だからと言って、客観訴訟を抽象的審査制と考えるべきではなく、そういう訴訟も、一定の条件の下では、付随的審査制の特別な類型として構成するのが妥当ではないか、というふうに思います。

私は、実定法から言うと、立法論的になる面もあるかも知れないのですが、入口の所の訴訟要件についても、入口を通過した後の先程挙げたような第三者の権利侵害の問題、そういう運用の面でも、もう少し要件を広げることはできる、広げても司法権の概念と必ずしも矛盾しないのではないか、と思っているのです。そこの所は、まだ、いろいろ説明しなければなりませんが、十分考えも固まっていない点もありますので、方向だけを参考までに付言しておきたいと思います。

Ⅱ　当事者適格の個別的問題

●第三者の権利侵害の援用は、主張の利益の問題である

岩東　次に個別的な問題で、第三者の権利主張の問題と、政教分離の性格と当事者適格の問題。ま

た、正面からは行けない場合に、国家賠償請求訴訟で行った場合の評価、などについてお聞きしたいと思います。

芦部　第三者の権利を援用できるかどうかという問題は、いま挙げた訴訟要件の問題とちょっと違った意味のスタンディングの問題ですが、それを含めてアメリカでは、広く憲法訴訟における当事者適格の問題として論じられています。しかし二つは分けて考えないといけないのです。ですから、むしろ、主張の利益の問題でもあるわけです。その点については、昭和三五年と三七年に、第三者没収に関する大法廷判決[1][2]があって、一応、第三者の権利侵害を援用することができる、という判断になっていることは皆さんご存じでしょう。私は論文*でも書いたとおり、その結論には賛成です。

ただ、第三者の権利侵害の援用には、純粋な意味の第三者の権利を援用するケースと、もう一つ、言論の自由を規制する立法が漠然不明確であるとか、過度に広範であるという場合に、自己に対して合憲的に適用される条文であっても、それと不可分に結び付いて他人に対して違憲的に適用される可能性のある条文があれば、その二つを合わせて、あるいは、場合によると、その法令全体になるかも知れませんが、違憲を争うことができるケースとがあります。後者のケースは、第三者没収の場合とちょっとカテゴリーは違うのですが、同じような形で争われます。そういう意味の第三者の権利を援用するスタンディングがある場合もある、ということです。

* 「憲法訴訟における当事者適格」『憲法訴訟の理論』（有斐閣）五五頁所収。

●第三者の権利侵害の援用における四つの条件

芦部　ただ、その場合に、どういう基準で判断するか、ということが問題になります。つまり、どういう条件が整ったとき第三者の権利を援用して憲法問題を争うことができるか、という問題です。これは、第三者没収事件の最高裁判決を支持するか、支持しないかの分かれ道になる重要なポイントですが、私は、判決が出た当時、アメリカの判例・学説を参照して四つの条件を挙げて論文*を書いたのです。

第一の条件は、第三者の憲法上の権利を援用する者の、訴訟における利益の程度の違い、第二は、援用される第三者の憲法上の権利の性格の違い、第三は、援用する者と援用される者（つまり第三者）との関係、第四に、これが一番重要な要件なのですが、第三者が独立の訴訟で自分の権利侵害を主張する実際上の可能性があるかどうか、という条件です。

このように、権利の性格とか、訴訟の当事者と第三者の関係とか、特に、いま最後に挙げた、第三者が独立の訴訟で自己の権利の救済を裁判所に求めることができるかどうか、とかいう諸条件を考慮してスタンディングの有無を判定する、という考え方です。ですから、第三者没収事件の場合も、船を貸して没収されてしまった船主が独立に自己の所有権に基づいて、国に対して返還請求ができるかどうかということが一番ポイントになるわけで、もしそれができないということであれば、船を借りて密貿易をした借主が、船主の所有権を援用して、没収の違憲性を争う訴訟を起こすことができるということです。あの事件では、上告論旨にも、原審の高等裁判所の段階でも、自己の権利の侵害については、一言も言っていないのですね。ただ、船主の所有権が侵される、ということを主張しているだけです。それを、三五年の判決は、第三者の権利の援用だから「法律上の争訟」ではないとして却下したのですが、三七年の判決は、そういう訴訟も認められるとして、判例変更をしたわけです。

アメリカ法的に考えますと、船主は独立の訴訟で返還請求を当然にできるので、日本でもそう解することができると考え、私は、最初は三七年判決には疑問をもったのです。しかし第三者の独立の訴訟は、没収が対世的効力をもち不可能である、というのが、日本における学説・実務の支配的な考え方のようです。船主が所有権に基づいて返還請求を行うことができないとすれば、他の条件も考慮に入れた上で借主の方で第三者の権利を援用して、争うことができる、と考えた方がよいでしょうね。

＊「憲法訴訟における当事者適格」『憲法訴訟の理論』（有斐閣）五五頁所収。

●政教分離の原則と信教の自由は密接不可分である

岩東　政教分離の性格と当事者適格の問題ですが、よく制度的保障説をとると認められないけれども、人権の側面をとると認められる、という考え方を聞くのですが、果たしてそうなのか。人権の側面を認めても、誰でも彼でも訴えを起こせるわけではないのではないか、と思うのですが。

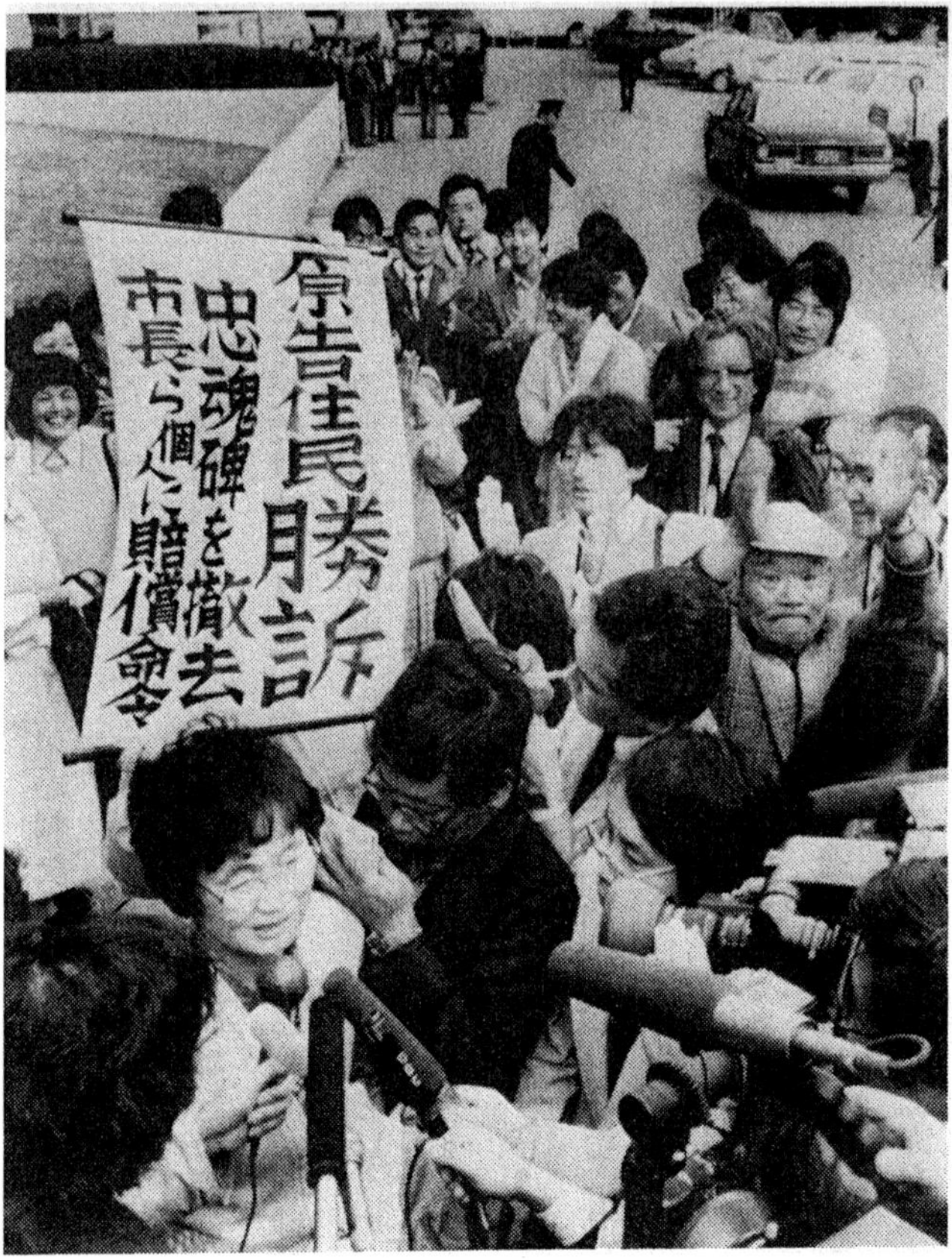

（3）箕面忠魂碑訴訟（写真――忠魂碑訴訟に勝ち、喜びを語る原告団・朝日新聞社提供）

忠魂碑の移転にともない政教分離が問われた事件である。

大阪府箕面（みのお）市の市立箕面小学校の校庭に、遺族会所有の忠魂碑が設置されていたが、箕面市は、同小学校の増改築のため、忠魂碑の移設が必要となったので、校門に接するところの土地を買い受け忠魂碑を移設した。これに対し住民らは、市の行為は、憲法二〇条三項・八九条に違反するとして訴訟を提起した。

大阪地裁（昭五七・三・二四判時一〇三六・二〇）は、忠魂碑は宗教施設であり、箕面市の忠魂碑の移設と遺族会への市有地無償貸与は、宗教活動を援助、助長する行為であるから、憲法二〇条三項・八九条に違反する、と判示した。現在、控訴審の大阪高裁で審理中。

（ジュリスト昭和五七年度重要判例解説一七頁）

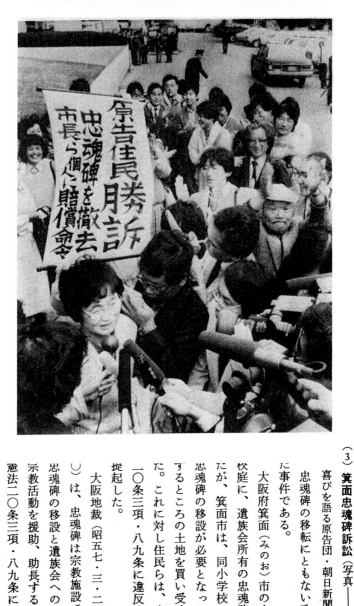

芦部　これは、箕面忠魂碑訴訟(3)で問題になりましたが、結局、信教の自由の規範的構造をどう考えるか、という問題に帰着すると思います。つまり、信教の自由の中心は、信仰の自由と宗教的行為の自由ですね。この信教の自由プロパーを実質的に裏付けるものとして、政教分離の原則があるわけですが、その場合、信教の自由プロパーと政教分離原則とを切り離して考えるか、それとも、信教の自由プロパーは政教の分離なくしてはあり得ない、という不即不離の形でとらえるか、そこに問題のポイントがあると思います。

もし、一応、切り離した形で政教分離を考えると、政教分離に違反したからと言って、信教の自由プロパーの違反を主張する当事者適格はない、ということに当然なります。しかし、切り離して考えるべきではなく、信教の自由プロパーは政教分離原則を当然に伴うし、政教分離は信教の自由プロパーを前提とするという、両者の密接不可分性を前提として考えれば、政教分離に違反するような行為が行われた場合に、それを信教の自由プロパーの違反として争うということはできるし、当然できなければおかしい、ということになるわけです。

ですから、最近の政教分離に関する訴訟でそれを切り離して、政教分離違反だから、信仰の自由、信教の自由は侵されないので、それを侵されたという主張は成り立たない、そういう広い意味の訴えの利益はない、こういう意見が一部にありますが、それは、両者の関係を密接不可分だと考えれば成り立たない理論だ、ということになるのではないか。私は、密接不可分の関係で捉えるべきだと思うので、そういう解釈は成り立たないのではないかと考えているのです。

●国家賠償請求は憲法訴訟の有効なテクニック

岩東　次は、国家行為を直接争う場合は無理だけれども、国家賠償請求訴訟の形にすると、訴訟として成り立つ、ということが考えられると思うのですが、このようなやり方について、先生のお考えをお伺いしたいのですが。

芦部　それは、問題の性質にもよると思うのです。例えば、議員定数不均衡の訴訟の場合に、仮に違憲だとしても、今の判例理論から言えば、事情判決の法理によって違憲の宣言に止める、ということになるわけですから、もし、立法府が公職選挙法を改正しなければ、判決が出ただけということにはなります。そこで、仮に定数不均衡が違憲だという判決が出たにもかかわらず、定数是正が行われないままの状態で次の選挙が執行された場合に、選挙権の平等が侵害され精神的損害をこうむったことを理由として、国家賠償請求を行うことができるか、というと、それは可能であるということです。実際にも、従来、そういう形で訴訟を起こした例はあります。

ただ、その訴訟が認められるためには、少なくとも、その前に定数不均衡を違憲とする判決が出されていることが必要です。訴訟の前の段階でですね。また国家賠償の訴訟要件が国賠法二条にありますから、その条件も充足する必要がありましょう。それができれば、国家賠償を請求することは可能だと思うし、また、それが一つの実効性ある意味を持つことがある、と思います。

もっとも、議員定数訴訟の場合ですと、全国から国賠法によるそういう訴訟が起これば、それが定数再配分のきっかけになり、政治的に立法府に対して大きなプレッシャーをかけることにもなると思うのですが、単発の賠償請求が二、三起こったとしても、賠償問題だけに終わってしまう可能性がありますから、定数不均衡の違憲の確認とその是正という所に結び付いていかないわけです。そういう意味で、一定の限界があると思うのです。けれども、かなり全国的な規模でそういう訴訟が起これば、定数不均衡自体の違憲を争うのと同じような一定の効果は、全体を総合して考えるとあるのです。

こういう次第で、問題の性質にもよるのですが、国家賠償法を使うことは、ほかのいろいろの領域でもあり得ますが、かなり有効な憲法訴訟のテクニックだと思うのです。

第3章　違憲審査の方法

(4) **恵庭事件**（トビラ写真——憲法判断が回避され、不満の記者会見をする被告の野崎兄弟・朝日新聞社提供）

北海道千歳郡恵庭町にある陸上自衛隊の島松演習場付近で酪農を営む被告人らは、砲・爆撃の騒音のため乳牛等に被害を受けていたが、昭和三七年一二月中旬、自衛隊が事前の連絡なしに砲撃を始めたことへの抗議の帰途、自衛隊の電話通信線を切断したため、自衛隊法一二一条違反に問われた。

被告人らは、自衛隊法全体の違憲を理由に無罪を主張したのに対し、札幌地裁（昭四二・三・二九下刑集九・三・三五九）は、通信線は自衛隊法一二一条にいう「その他防衛の用に供する物」にあたらず無罪であるとしたうえで、被告人の行為が同条の構成要件に該当しない以上、「憲法問題に関し、なんらの判断をおこなう必要がないのみならず、これをおこなうべきでもない」と判示した。

（憲法判例百選Ⅱ二八〇頁）

(5) **長沼事件一審判決**

防衛庁は、昭和四三年、第三次防衛力整備計画に基づき、北海道夕張郡長沼町にミサイル基地の新設を計画し、通称馬追山（まおいやま）国有林の一部について保安林指定の解除を農林大臣に申請した。被告農林大臣が解除処分を行ったのに対し、原告地元住民は、自衛隊が違憲であることを理由に本件処分の取消しを求めて提訴した。

札幌地裁（昭四八・九・七判時七一二・二四）は、重大な違憲発生の疑いがあり、その結果国民の人権侵害の危険があり、憲法判断以外の方法では紛争の根本的解決にならない場合には、裁判所に憲法判断の義務がある、として違憲判断を行った。

しかし、控訴審（札幌高判昭五一・八・五判時八二一・二一）と上告審（最判昭五七・九・九民集三六・九・一六七九）では、訴えの利益の点で原告側の敗訴に終わった。

（憲法判例百選Ⅱ二八二頁・二八四頁）

Ⅰ　憲法判断回避のルール

●憲法判断の三つのパターン

村山　次に、違憲審査の方法の問題に移りたいと思います。ここでは、まず、憲法判断回避のルールと呼ばれるものから取り上げたいと思います。このルールを採用したものとして有名な恵庭判決(4)は、大体、次のように言います。「裁判所の憲法判断は、それをしなければ裁判の結論が出せない、という場合にだけなされるべきであって、憲法判断を持ち出さずに裁判ができる場合には、憲法判断を行う必要がないのみならず、それを行うべきでもない」と。この対極にある考え方として、学説の中では、常に憲法判断が先行しなければならない、という主張があります。また、更に、この両者の中間的な考え方として、長沼事件の一審判決(5)がとった考え方で、「このような憲法判断回避のルールには、十分な理由はあるけれども、一定の場合には判断すべきである」という考え方があります。大雑把に言って、三つの考え方があるわけですが、これらを一般論として考えた場合の当否はどうなのか、という点からまずお伺いしたいと思います。

芦部　憲法判断回避の問題については、特に恵庭事件と長沼事件の判決を契機として、いろいろな議論がありますが、私の考え方は、何回か書いてきたとおりで、いま紹介された第一と第二の考え方には批判的な立場をとります。

第二の、憲法判断を先行しなければならないという考え方は、付随的違憲審査制の原則を誤解しているのではないかと思われますし、第一の、憲法判断はそれをしなければならない場合に限って行われるという恵庭判決のとった考え方は、付随的違憲審査制の大原則である必要性のルールには忠実なのですが、恵庭判決の場合は非常に無理な法律解釈を行って、そのルールをあまりにも形式的かつ厳格に適用しすぎているのではないか、という疑問があります。

●憲法保障という違憲審査制に期待されている役割を考える

芦部　そこで、その中間の考え方と言いますか、第三の考え方として私が考え、主張してきたのは、裁判官には事件の性質、権利の重大性等を考慮して、仮に他のルートで事件を解決することができる場合であっても、憲法判断を行い、憲法論で事件を処理することも可能である、という見解です。つまり、裁判官に、そういう一種の裁量(discretion)を認めることも可能である、と考えるのです。これは付随的違憲審査制の原則から言えば、かなり問題もあるかも知れませんけれども、最初にお話したとおり、憲法保障ないし立憲民主主義の保障という、戦後の違憲審査制に期待されている役割を考えると、付随的審査制であっても、そこまで広げてよいのではないか、というよりも広げるべきではないか、と思うのです。アメリカの憲法判例でも、憲法判断回避の原則には「重大な例外」があると説かれ、その種の例外は認められているように思われますので、自衛隊違憲訴訟の場合でも、長沼事件第一審判決のように、事件の重大性や争われている権利の性質等を考慮して憲法判断を行うことは可能である、というふうに思うのです。

もう一つ、これも既に書いたことですが、長沼事件第一審判決は、一定の条件がそろったときは憲法判断をしなければならない、というふうに述べて、裁判官が憲法判断を行う義務があるような趣旨に読める判決を下しているのですが、そこは、先程言ったとおり、義務ではなしに、裁判官の裁量的判断に委ねられている、と考えるべきではないか、というのが私の立場なのです。

●恵庭事件と長沼事件

村山　それでは、この恵庭事件、長沼事件といった事件の具体的な事案の解決の当否としては、どのようにお考えになりますか。

芦部　それは、大変に難しい問題ですから、ごく筋だけ説明しますと、恵庭事件では、自衛隊法ならびにそれに基づく自衛隊の違憲性が真正面から争われ、訴訟の経過でも憲法論が中心だったので、判決が下された際に肩すかしだと一般に批判されたのは、それだけの理由があったと思います。ですから、事件の解決方法としては、憲法論として扱う、つまり、自衛隊が合憲か違憲かを判断すべきではなかったか、ということになるのですが、そうなると、あるいは、統治行為論が問題になるかも知れません。

もう少し具体的に説明しますと、恵庭判決は憲法判断回避のテクニックとして、法律の解釈を行ったわけですね。つまり、自衛隊法一二一条の「防衛の用に供するもの」の中に通信線が入るかどうかという、法解釈の問題として事件を処理しているわけです。ですから、その解釈が妥当かどうか、ということが問題になるのですが、私は判決がとった解釈は極めて無理である、したがって、その憲法判断回避は妥当でなかったのではないか、と思います。そうすると、訴訟の経過から言っても、裁判所としては自衛隊法の憲法適合性を判断すべきではなかったか、ということになるのですが、その場合に残された問題は、統治行為論が適用されるかどうか、ということです。

長沼事件の場合には、第一審は憲法論を真正面から論じたわけですが、ただ、訴えの利益の問題は必ずしもすっきり解決されていなかったと思うのです。この点については、いろいろの意見がありますが、第二審で第一審判決が覆され、最終的に最高裁で訴えの利益の所ではねられましたが、それにも一理は確かにあると思います。

この点は行政訴訟の問題としてどう考えるか、ということになりますが、先程、当事者適格を扱った際に問題にしたような点がかかわってきます。また、訴えの利益の点では、もう一つ憲法論として、平和的生存権を人権として構成できるかどうか、という問題がかかわってきます。平和的生存権を支持する意見も有力ですが、具体的権利性については問題があるのではないかという意見の方が強く、私も、それはあらゆる人権の基礎にある一つの理念的な権利だと思いますが、まだ具体的権利性を有するという所まで踏み切っていません。したがって、広い意味の訴えの利益、原告適格がこの事件の場合にあるかどうか、という問題が第一審では残されていた、ということですね。

●必要性の原則を前提として、なお重大な場合に憲法判断が可能

加賀美　恵庭事件判決をめぐる論争についてお伺いします。「憲法判断は、論理的に必ず先行していなければならない」とする学説に対して、芦部先生は検討を加えておられます。そこでは、結論として、付随的審査制における必要性のルールを強調され、憲法判断の回避を正当づけておられる。先程先生は、違憲審査制の憲法保障機能ということを考えてみると、時には必要な範囲を超えて、憲法論に立ち入ることも許される場合がある、とおっしゃいました。付随的審査制を強調しながら、そのようなアメリカ流の政策的判断を導入することができるのか、疑問に思うのですが。

芦部　確かに、必要性のルールを貫徹すると、そういう論理になるのですが、それだけを貫徹しようとすると、最初にお話した違憲審査権の憲法保障機能を充たすことができない場合も出てくるし、それほど厳格に必要性のルールを憲法訴訟の場合に貫いていきますと、スタンディングや違憲判決の効力について先程お話したような原則からの例外が存することが、説明できなくなってくる可能性が出てくるのです。ですから、憲法判断先行論は、必要性の原則すなわち付随的違憲審査制のそもそも

の大原則から言って、おかしいというのが、私の意見*なのです。

それに反して、長沼第一審判決とか、裁判官のディスクレッションで憲法判断に踏み込むことも可能であるとする考え方は、必要性のルールという付随的違憲審査制の大原則そのものを前提として、なおそこに重大な場合に限って例外を認めるという考え方ですから、外れるという点では同じかも知れませんが、外れ方が憲法判断先行論とは実質的に違うのです。外れる点で同じではないか、という疑問があるかも知れませんが、全く異なる、ということです。

ですから、加賀美君が言われた政策的判断というのはちょっと言い過ぎで、政策が入っていると言えば言えるのですが、裁判官に一定の限定された場合に自由裁量的な判断も認められる、ということなのです。つまり、違憲審査制には、ルールはもちろんあるわけですし、行政訴訟、民事訴訟、刑事訴訟のそれぞれの手続に従わなければならないことは言うまでもないのですが、ただ、それに全部縛られる、というのではなく、憲法訴訟に特有の原則もいろいろあるわけですから、それを加味して考えていかなければならない、という問題なのです。

* 「憲法判断の回避と裁判所の憲法保障機能」『憲法訴訟の理論』（有斐閣）二七七頁参照。

Ⅱ　合憲限定解釈

●合憲限定解釈は法律解釈の一つの大原則である

村山　では、次に、合憲限定解釈の問題に移りたいと思います。合憲限定解釈と言われる手法は、法令を全面的に違憲とすることを避けつつも、被告人を救済することができるという点で、ある程度、積極的な評価も可能かと思いますが、一方でそのような手法をとると、構成要件の保障的機能を失わせることになって不当である、という面も指摘されています。また、表現の自由に関する領域においては、このような手法をとりますと、萎縮的効果が働いて、表現の自由にとっては由々しいことであるから、限定解釈の必要な法令はそもそも法令違憲とされるべきである、というようなことも言われます。この辺について、先生はどうお考えでしょうか。

芦部　合憲限定解釈は、付随的違憲審査制であると西ドイツ型の憲法裁判所であるとを問わず、要するに、法律解釈の一つの大原則なのです。と言うのは、合憲限定解釈は、先程も議論した違憲審査制と民主主義との関係の問題に密接にかかわるからです。つまり違憲審査は、国民の代表者の作った法律を対象とするわけですから、そういう代表者、すなわち政治機関の判断に対しては敬意をはらうという考え方、これは後で問題にする司法消極主義のフィロソフィーですが、それが原則的には妥当

（6）都教組事件

（写真——無罪判決に喜ぶ都教組被告団。しかし一〇分後に開かれた全司法仙台事件判決では有罪の判決が下され、この日最高裁前では明と暗がくり広げられた・毎日新聞社提供）

公務員の争議行為は、不当性を伴わない限

り刑事罰の対象とはならない、とする新判例を生み出した事件である。

東京都教組の幹部であった被告人らは、昭和三三年四月二三日、勤務評定に反対して、組合員に休暇闘争を指令したが、その指令の配布伝達行為が地方公務員法六一条四号のあおり行為に該当するとして起訴された。

一審無罪、二審有罪、そして最高裁（昭四四・四・二刑集二三・五・三〇五）は、地公法三七条・六一条四号を文字通りに解すれば違憲の疑いがあるが、同規定は「争議行為が違法性の強いものであることを前提とし、そのような違法な争議行為等のあおり行為等であってはじめて、刑事罰をもってのぞむ違法性を認めようとする趣旨と解すべきであ」るとし、また、あおり行為についても、「争議行為に通常随伴して行われる行為のごときは、処罰の対象とされるべきものではない」と述べ、争議行為とあおり行為の意味を二重にしぼる合憲限定解釈を示した。

（憲法判例百選Ⅱ三三四頁）

(7)　全司法仙台事件

全司法労組仙台支部は、昭和三五年六月四日、仙台高裁構内で安保条約反対の集会を開いた。その際、国公共闘会議の幹部を含む被告人らは、裁判所の職員に時間内職場集会に参加するよう呼びかけたり、退去要求にも応じなかったとして、国家公務員法違反、住居侵入罪で起訴された。

最高裁大法廷（昭四四・四・二刑集二三・五・六八五）は、前掲注(6)の都教組判決と同じ二重のしぼりの合憲限定解釈の立場をとりながら、被告人らは国公法一一〇条一項一七号にいう同法九条二項前段に規定する違法な行為の遂行をあおった者に当たる、と判示した。

するわけです。そこで、法令解釈も、できるだけ法令を救済する、という方向で行うのが原則である、ということになるわけです。

●萎縮的効果をもたらす場合は、合憲限定解釈は原則として排除される

芦部　ただ、憲法解釈の場合ですと、違憲審査権には先程の人権保障、憲法保障という使命、役割が担わされているわけですから、合憲限定解釈にも厳しい限界があります。その中でも、特に、萎縮的効果をもたらす表現の自由の規制立法については、大きく限定解釈が制約されるので、この場合には原則として、最初にお話した文面判断のアプローチが妥当する場合が多いわけで、そうしますと、原則として、限定解釈はむしろ排除される、ということになります。特に、漠然不明確な法律、過度に広範な法律、あるいは検閲を定めているような法律、こういう場合ですと、原則として文面判断のアプローチが妥当し、合憲限定解釈は排除されます。それと同じように、明確性の原則が罪刑法定主義との関係で問題になる刑罰法規の領域でも、合憲限定解釈は大きく制約されます。

この問題が一番争われた全農林警職法判決（PART1三二頁）の場合でも、その点が、多数意見の大きな一つの柱になっていたのですが、これは大変に微妙な問題で、国家公務員法、あるいは公労法の争議権禁止の規定の合憲解釈を行った都教組判決(6)、全司法仙台判決(7)の考え方が、合憲限定解釈のいま述べたような枠を外れた解釈かどうかというのは、当時論文*でも指摘したことですけれども、早急

には断定できない、と私は思います。しかし、一応の原則は、いまお話したようなことです。

＊「労働基本権制約立法の合憲限定解釈と判例変更の限界」『現代人権論』（有斐閣）三一五頁所収。

●合憲限定解釈の余地があるかないかはケース・バイ・ケース

村山　具体的な法令を目の前にした場合、果たしてその法令に限定解釈の余地があると言えるのかどうか、微妙なケースというのは多いと思うのです。例えば、国家公務員法一〇二条一項、それに基づく人事院規則一四―七第六項一三号について問題になった事件が何件かありますが、この人事院規則の規定について、猿払事件第一審判決（PART1二〇頁）と、全逓プラカード事件の第一審判決は、限定解釈の余地があるかどうかという点の判断については、対立しているようにも判決文からは読めるのですが、一体、いかなる場合に限定解釈の余地ありと言えるのでしょうか。

芦部　それは、一般原則というものがあるわけではないので、ケース・バイ・ケースに判断されていく、ということになります。ただ、限定解釈は法令の文言と目的によって制約される、ということは一般原則だと言えます。だから、例えば恵庭判決の場合、自衛隊法一二一条の「防衛の用に供するもの」の中に、通信線が含まれるかどうか、ということになりますと、文言上から言えば当然含まれるということになりますし、目的から言っても、それを排除するだけの理由がないわけですから、法令解釈の一般原則から言えば、判決は解釈の枠を逸脱しているのではないか、と思われるわけです。

仮に、法令の目的、文言に基づく制約の一般原則を充たすとしても、先程お話しましたような表現の自由の場合には、どこまで限定解釈が許されるか許されないか、また、どういう段階になったら許されないか、ということは、具体的には大変難しいのです。例えば、徳島市条例事件[9]で問題になったのは、「交通秩序を維持すること」という条例に付加された、いわゆる付款、条件ですね。この付款が漠然不明確か、あるいは、刑罰法令に要求される罪刑法定主義の原則に反するかどうか、明確性の要件を充足しているかどうか、ということになりますと、これは、ちょっと、卒然と条文を読んだだけでは分からないわけで、公安条例全体との関連で解釈しなければならない。徳島市条例の事件では、「交通秩序を維持すること」という条件は、明確性の理論から言ってギリギリの所だ、という趣旨のことを最高裁の多数意見も言っているわけです。第一審判決は、漠然不明確で、明確性の原則に違反するから無罪だ、ということを確か言っていたんですね。とにかく、こういうギリギリの場合になると、非常に判断が微妙になってくるわけです。

もう一つ例をあげますと、いわゆる青少年保護条例には、「粗暴性を助長し」とか、「著しく性的感情を刺激し」とかいう表現がよく用いられるのですが、何が「著しく」か、何が「粗暴性」か、これは非常に問題になる、どう解釈するか。一律にはいかないし、特に青少年条例の場合には、条例の運用規定でどの程度明確化されているか、という問題も考慮に入ってきます。しかし、原則は先程お話したとおりで、表現の自由とか、刑罰法令の場合には、合憲限定解釈は著しく制約されるのです。特に、文面判断のアプローチが妥当する場合は、原則として、そういう限定解釈はできない、法令違憲のアプローチで判断すべきである、ということになります。

そこで、国家公務員法一〇二条と人事院規則一四―七に基づく政治活動規制に関する事件では、村山君の質問に出た全逓プラカード事件第一審判決のように、限定解釈で無罪の結論を導いた下級審判決もかなり多数ありましたが、私が一貫して主張してきたのは、この場合は法令違憲のアプローチをとるべきだということです。限定解釈による無罪ではなく、法令違憲で無罪という結論をとるべきで、その後始末は厳格な基準に照らして規制の内容を明確にする法律改正によるべきだと思いますね。これは立法論ですが、そういう意見だったのです。

(8) **全逓プラカード事件**

郵便局員が、昭和四一年のメーデーに、「ベトナム侵略に加担する佐藤内閣打倒」という文言の横断幕を掲げて集団行進に参加したところ、同行為が国家公務員法一〇二条、人事院規則一四―七に違反するとして懲戒戒告処分を受けたので、右行政処分の取消しを求めて訴訟を起こした。

東京地裁（昭四六・一一・一判時六四六・二六）は、本件行為は文理上は国公法、人事院規則に違反するが、「右各規定を合憲的に限定解釈すれば、本件行為は、右各規定に該当しまたは違反するものではない」と判示した。この判決は高裁で維持されたが、最高裁（昭五五・一二・二三民集三四・七・九五九）は猿払事件大法廷判決（PART1二〇頁注（2）参照）に従って、原判決を破棄した。

(9) 徳島市条例事件

被告人は、徳島県反戦青年委員会の幹事であったが、昭和四三年一二月一〇日、同会主催の「B52、松茂・和田島基地撤去」などをスローガンとする集団示威行進に参加し、集団行進者に笛を吹くなどしてジグザグ行進の指示を与えた。この行為が、道交法および「交通秩序を維持すること」を求める徳島市公安条例に違反するとして起訴された。

一審・二審は本条例の規定は犯罪構成要件としての明確性を欠くと判断したが、最高裁（昭五〇・九・一〇刑集二九・八・四八九）は、道交法と条例とは目的が異なり矛盾抵触しない、また、本条例は文言が抽象的であるそしりを免れないが、憲法三一条に違反するとまではいえない、と判示した。

（憲法判例百選Ⅰ九〇頁）

第4章　統治行為論

（10）**苫米地事件**（トビラ写真——報道関係者に解散を説明する大野伴睦議長・朝日新聞社提供）

衆議院の解散に違憲審査が及ぶか、が問題となった事件である。

昭和二七年八月二八日、第三次吉田茂（自由党）内閣は、鳩山一郎氏を中心とする反吉田勢力の攻勢をかわすため、衆議院の「抜打ち解散」を行った。当時の衆議院議員苫米地義三（とまべち　ぎぞう）氏は、憲法七条のみを根拠とする解散は違憲である、解散決定に必要な閣議を欠く、ことを理由に、当該解散の違憲無効を主張して、議員資格の確認と歳費の支払いを求めて提訴した。

一審・二審はこの主張を認めたが、最高裁大法廷（昭三五・六・八民集一四・七・一二〇六）は、衆議院の解散のように、極めて政治性の高い国家統治の基本に関する行為については、三権分立の原理からみて、裁判所にその法律上の有効・無効を審査する権限はない、と判示した。

（憲法判例百選Ⅱ三二四頁）

Ⅰ　統治行為の肯定説・否定説

●政治上の要請に直接結びつけて考えない方がよい

村山　つづいて統治行為の問題について、加賀美さんからどうぞ。

加賀美　裁判所は、憲法八一条によって違憲審査権を付与されており、裁判所法三条一項は、裁判所は一切の法律上の争訟を裁判する、と定めています。ところが、法的判断が可能でありながら、その高度の政治性の故に、司法審査のおよばない問題がある、と言われています。統治行為とか、政治問題とか呼ばれているものです。このような法理を認めるかどうか、学説は分かれていますが、否定説は観念的な理論に固執しすぎて、憲法と政治との密接な関係を無視してしまっているように感じられます。他方、肯定説をとると、政治上の要請にながれてしまい、違憲審査権の意義を失わせてしまいかねません。限界領域なので、微妙な問題だと思いますが、統治行為の認否と、その程度について、芦部先生のお考えをお聞きしたいのです。

芦部　これも、大変難しい問題ですので、質問に簡単に答えることはできないのですが、いま言われた、否定説と肯定説が政治上の要請にかかわっているか、いないかという点について、まず一言しておきたいと思います。

私は政治上の要請という点でこの二つを分けることには、問題があるように思うのです。もちろん、憲法判断そのものは、統治行為の問題に限らず、重要な事件になればなる程、政治の問題とかかわってくるわけですから、統治行為の問題になれば、いま言われたような政治上の要請というものを無視して、判決が理論的な形だけで出される、ということは、ほとんどないと言っても過言でないと思います。ただ、あまりそれと結び付けて、肯定説・否定説を考えない方がよいのではないか、と思うのです。

●内在的制約説に自制説を加味して考える

芦部　そこで、私の考え方ですが、大分前から、一応、肯定説の立場に立っておりますが、肯定説には、いわゆる内在的制約説と自制説と言われる二つの大きな考え方の違いがあるわけです。判例は、苫米地訴訟(10)で、内在的制約説をとり、それがリーディング・ケースになっているのですが、内在的制約説の論拠として挙げられる民主政の原理とか、民主主義的責任政治の原理とか、あるいは国民主権・権力分立というような憲法の大原則は、必ずしもその内容がそれ程明確なものではない。特に、民主政の原理とか、民主主義的責任政治の原理ということになりますと、先程、民主政の問題を扱った際にも触れたとおり、中身が明確でないだけでなく、人権保障に違憲審査制の本質があると考えられている現代憲法の下では、人権制約が争われている事件で、民主政の原理とか民主主義的責任政治の原理を内在的制約の理由に持ち出すこと自体が問題ではないか、と思うのです。確かに権力分立原理が基本的前提になる原則であることは私も認めるのですが、その権力分立も先程お話したとおり、それ程、解釈論上の論拠として中身が明確ではありません。そこで、統治行為が認められるかどうかを考える場合には、やはり、自制説的な要素を加味して検討しないと、結論を導き出すのは難しいのではないか、と考えてきているわけです。ですから、内在的制約説の原則に、自制説の説く種種の理由を加味しつつ、それぞれの事件の具体的状況に応じて機能的に、政治問題（あるいは統治行為）が成立するかどうかを考えていく、ということが必要ではないか、と思うのです。

ただ、最初にお話した、憲法訴訟におけるジャスティシアビリティー、憲法判断適合性と私は訳しているのですが、この問題として政治問題というものを考えたときに、先程は触れませんでしたが、政治問題の法理と関連する、いくつかの他の論点があります。中でも、立法裁量の問題と議院の自律権に関する問題が重要です。さらに、これは認めるかどうかは別として、宗教団体とか大学とかいう国法秩序と異なる一定の団体内部の秩序に関する事件、これも憲法で保障されている国会の自律権に準ずる団体の自律に属する事項の問題があります。そういうような、政治問題だからジャスティシアブルでないと言うのと、結論的には同じような形になる問題点が、政治問題の理論の周辺にあるわけです。

この点で注目されるのは、裁量理論によって、統治行為の理論で言う高度に政治的な憲法問題はすべて一応処理できる、という考え方です。現に、そういう意見はかなり日本でも有力で、この考え方によれば、いま挙げたような、統治行為・政治問題の周辺にある裁量論や自律権の理論にかかわるジャスティシアビリティーの問題以外に、統治行為ないし政治問題という特別のジャスティシアブルでない領域を考慮する必要はない、というのです。しかし私は、そういう理論で解決できるものは、もちろんそれによるし、それが第一義的なジャスティシアビリティーを考える場合の論拠になると思うのですが、それだけで割り切れない問題もあり得るのではないか、ということで、先程述べたように、内在的制約説に自制説の要素を加味して、政治問題の領域も可能性として残す、そういうふうに考えたわけです。

●統治行為を考える場合の四つの重要なポイント

芦部　ただ、その場合に、これは、長沼事件第一審判決の研究会（ジュリスト五四九号参照）を行った際などに述べたことですが、かなり厳しく範囲を制約する考え方をとっております。すなわち、第一には、統治行為の存在を是認できるとしても、事項別に特定の類型の国家行為を、アンブロックに統治行為だとする見解は正しくない、ということです。例えば、外交行為ないし条約は一切統治行為だ、というような意見も学説上ありますが、私は、条約もその国内法的側面については原則として違憲審査できる、というふうに考えておりますので、そういうアンブロックな類型化は、正しくないと思うのです。

第二に、高度の政治性の要件は、それ単独では統治行為の援用を正当化できないということです。すべての憲法事件は政治性があるわけですから、高度の政治性というメルクマールに、統治行為の援用を正当化するあまり大きな意味をもたせるのは妥当でない、という趣旨です。

第三に、権力分立原理は、一般に司法判断適合性がないという結論を基礎づける有力かつ重要な論拠とされるのですが、ただ、その場合に、司法権は、本来、政治から隔絶された作用だというふうに考えてはならない、ということです。司法の政治的中立性ということがよく言われるのですが、それはそれで確かに理由はありますし、私も、裁判の客観性ということを、年来、いろいろな観点から主張してきているのですが、司法は本来政治的であってはならない、ということで政治問題を理由づける、という考え方には必ずしも賛成できません。これは、権力分立原理と結び付けて、そういうことを説いてはならない、考えてはならない、ということです。

第四に、私がよく言うことですが、重要な人権侵害を争点とする事件では、司法判断不適合の理由が極めて強い行為であっても、統治行為の法理を適用するのは、原則として排除されるということです。ですから、条約に関する憲法訴訟でも、人権問題が絡まってきますと、アメリカの憲法判例では違憲審査を認めたものがあります。これは、直ちに日本国憲法下の解釈に妥当しない、という意見もあるかも知れませんが、私は日本の場合でも、仮に統治行為を認める場合にそういう制約があると思うのです。
以上のように、かなり絞りをかけ自制説の要素を加味した形の統治行為を考えていかなければならない、これが私の考え方ですが、いまお話したことは、非常に一般的な原則だけですので、それでは、具体的にどういう行為が統治行為になるのか、と言われると、外交行為のある領域の行為という程度のことしか、いまお答えできないのです。そういう趣旨で、全然否定するという立場はとっていないのです。

●統治行為の根拠はケース・バイ・ケースで

加賀美　そのような先生の学説は、しばしば折衷説として紹介されています。ところが詳しく解説してあるものは少ないようです。内在的制約説を基本としながら、それに自制説の要素を加味するというのは、具体的にはどういうことなのでしょうか。

芦部　観念的な説明で分かりにくいところもあり、歯切れも悪いので、そもそも二つを結び付けるような考え方が成り立つかどうか、という批判もあるようですが、私が折衷説とも言われる立場をとったのは、先程お話したとおり、内在的制約説がその論拠とする権力分立原理とか、あるいは民主政の原理というものが、極めて一般的な原則ですので、それだけで統治行為を正当化するのは、難しいのではないか、少なくとも説得力に欠けるのではないか、というふうに思ったからです。

そこで、自制説の要素を加味すると述べたのですが、自制説の要素とは、司法の在り方として、そこまで立ち入るのは、いろいろな点で重大な問題がある、と考えられるような要件です。例えば、手続的に言えば、裁判所が事件を解決するのに必要な情報を収集することが可能かどうか、司法的判断に適合的な違憲審査の基準が存在するかどうか、というような司法手続に内在する能力の限界とか、判決を実際に執行できる可能性があるかどうかという、広い意味の政策判断とか、司法が非常に政治化する危険性に対して慎重に考慮する必要性とか、また、司法による救済の必要性と司法が憲法判断を加えた場合に生じる種々の政治的その他の事態とのバランスであるとか、そういうようなことですね。

加賀美　つまり、個別に具体的な論拠を示すことが必要で、もし説得力をもってそれを提示できなければ、統治行為は正当化されない、ということになりますね。

芦部　具体的にはそういうことです。ですから、ケース・バイ・ケースに、いま挙げたような司法の能力の限界の問題とか、司法が極めて政治化する危険性の問題とか、権利とのバランスの問題とか、そういうようなことも考慮に入れて、いわば機能的に判断するのがよいのではないか。そして判決の中に、そういう趣旨のことも合わせて書く方が、政治問題を仮に認める場合には妥当ではないか、説得力があるのではないか、そういう趣旨なのです。

いのです。

●統治行為論の採用により私人が救済を受けられなくなる場合

村山　話の流れに合わないかも知れませんが、だいぶ前から疑問に思っていた点なのでお伺いしたいのです。

統治行為論を採用した場合、その判決の主文はどうなるかというと、それは問題とされた法令を合憲と判断した場合のそれと同じになるわけです。刑事事件であれば被告人有罪（もちろん被告人の行為が構成要件に該当し、違法性・有責性を具備している場合）という判決主文が導かれることになります。とすれば、その法令が法律的判断の可能なものであって、判断をすれば違憲無効とされるものであった場合には、憲法判断をしていれば無罪になったはずの被告人が、統治行為論の採用によって有罪とされてしまうというケースが想定され得るわけです。

そこで質問なのですが、統治行為を肯定する考え方というのは、このような憲法判断がなされていれば自由の身になれた被告人を、刑務所送りにするという結果までをも容認するものなのでしょうか。もしそうだとすれば、付随的審査制が掲げる私権保障の理念と抵触するのではないでしょうか。仮に、それが極めて例外的な場合であったとしても、そういうことを認めるのはおかしいのではないか、と思うのですが、どうでしょうか。

芦部　そういう疑問は確かに一理ありますが、それを解消するには、法律的な判断が可能なら、どんな事件でもすべて憲法判断をすべきだ、というふうに割り切る、そういう考え方をとることが一つあり得るわけです。しかし、法律的判断が可能な場合になお、ジャスティシアビリティーが結論的にはない、という形になる統治行為とか政治問題を認めても、その範囲を絞れば、それはごく限定された領域で考えられる例外的な問題であると思うので、通常の刑事事件で、特に被告人の有罪か無罪かが争われるようなケースでは、恐らく、ほとんどの場合、政治問題・統治行為の理論が持ち出されてくる可能性はないのではないか、というふうに思うのです。

ただ、非常に例外的な場合に、そういうことが理論的にはあり得る。特に外交問題、条約などの問題でそういうケースがあり得るということは、私も認めます。ですから、通常の国内法の領域では、裁量の理論や議院の自律権の理論で処理される事件のほかは、法律問題であれば憲法判断を行う、という考え方も確かに今後十分検討に値すると考えています。

ただ、先程触れた自衛隊違憲訴訟のような場合に、これは国内問題で刑事事件ですが、統治行為論が使われるか使われないか、ということですが、これは純粋に法律問題で、法的判断が可能ですから、その点を貫けば、憲法判断をすべきだ、ということになるわけです。しかし、この問題は、裁判所として判断できるかどうか、また、判断すべきかどうかという、一般の刑事事件と違う性格もありますので、ほかの考え方もあり得るのではないか、という趣旨で、先程統治行為の可能性について触れたわけですが、通常の国内法に関する刑事事件では、法律問題で統治行為が適用されるようなことは、ほとんどの場合はないのではないか、と思うのです。後は、刑事事件であっても、自律権の問題に引っかかっていくか、裁量問題になるか、ということです。

ですから、例外的な場合で、ほとんどあり得ないようなことを想定して、肯定説をとる必要があるかどうか、という疑問も恐らくあると思うのです。けれども、そういうケースが起こる可能性を否定してしまって、法律上の争訟であればすべて司法が裁判すべきだ、というふうに割り切ることに、若干の問題を感じている、ということです。割り切ってしまった方がよいかな、と思わないではないのです、論理的にすっきりしますからね。でも、もし万一、そういう事件が起こったときに、裁判所が判断すべきだ、ということになるのではないかとなると、いや、そういう場合は、これは例外的だからということで認めてもよいのではないか、そのぐらいの余地は残しておいた方がよいのではないか、そう考えているのです。私が先程、理由づけの所で説明したところから判断すると、かなり統治行為は認められる可能性があるように受け取られるかも知れませんが、そうではなく、繰り返しになりますけれども、そこは厳格に絞って、特に、人権事件については、原則として適用されないという形で絞って、しかもケース・バイ・ケースで機能的に判断していく。これは少し軟弱な議論かも知れませんが。

加賀美　そのようにして考えてきますと、芦部先生の立場は、自制説に近いのではないか、とも感じられるのですが。

芦部　かなり近いことは近いのです。けれども、自制説は、裁判官の恣意的な判断と言いますか、主観的な判断の介入を許す考え方ですよね。しかし私の見解は、それを非常に絞っていると思うのです。つまり、法律的な判断が可能であっても、こういう条件が存する場合だという、憲法の原則との関連での枠があって、その上で、しかしこの場合は司法が介入を差し控えるこれこれの不可欠の理由があるからだ、という絞りがあると考えているのです。けれども、それも結論的には自制説と同じではないか、と言われれば、あるいはそうかも知れない、と答えるよりほか仕方ないですね。

つまり、内在的制約説は、一応、理由づけをしているのですが、それがそれほど明確な内容の原則でないものですから、それだけだと、結局、結論が先にあって後で理由を付けたというふうに解される可能性もある。大体、憲法判断はすべてそうなのだ、と言えばそうでしょうけれども。ただ、それだけでなしに、司法に内在する一つの枠づけも必要なのではないか、それが、広く言えば自制ということになるのではないか、というのが私の理論です。

Ⅱ　一見明白論の問題点

●砂川判決は統治行為論から外れている

加賀美　先程、先生は、統治行為の領域は局限されるべきである、とおっしゃいました。自律権の

（11）**砂川事件**（写真――米軍立川基地拡張に反対する人達・朝日新聞社提供）

日米安全保障条約と憲法九条が問われた事件である。

昭和三二年七月八日、東京調達局が都下砂川町にある在日米軍立川基地拡張のための測量を開始した際、これに反対するデモ隊の一部が境界柵を破り基地内に侵入した行為が刑事特別法違反に問われた事件である。

一審の東京地裁（昭三四・三・三〇下刑集一・三・七七六）は、合衆国軍隊の駐留は憲法九条二項前段に違反しており、これを刑事特別法二条によって軽犯罪法の規定よりも特に厚く保護することは憲法三一条に違反する、と判示した（いわゆる伊達判決）。これに対し、検察側は最高裁に跳躍上告した。

最高裁大法廷（昭三四・一二・一六刑集一三・一三・三二二五）は、①憲法九条は自衛権を否定していない、②九条二項の「戦力」には外国軍隊は含まれない、③日米安全保障条約は、わが国の存立にかかわる高度の政治性を有するものであり、一見極めて明白に違憲無効であると認められない限り司法審査は及ばない、

と判示した。

（憲法判例百選Ⅱ二七八頁・三二二頁）

問題とか、裁量権の問題とかに解消され得るものは、それぞれの法理で解決していくべきだ、ということですね。そこで、裁量権論と統治行為論の区別の点で問題になったのが、砂川事件判決[11]です。そこでとられた論理は、統治行為論なのか裁量行為論なのかということで、学説の判断も分かれておりまして、学ぶ者にとっては、非常に疑問が多い所なのです。特に問題になるのは、「一見極めて明白に違憲無効であると認められない限り」という条件がつけられている点です。一見明白に違憲無効ならば司法審査に服するというような統治行為論は、元々の原型からは、かなり修正を加えられたものとなってくるわけです。そのような統治行為論が認められる余地があるのか、あるいは、そこまで来てしまうと、もうそれは裁量行為論として判断すべきなのか、ご意見をお伺いしたいのですが。

芦部　そこの所は、解釈が分かれると思うのです。ただ、一見明白に違憲である場合には司法審査の可能性がある、ということになりますと、これは、従来の裁量行為の理論になるわけですから、純粋の統治行為の理論とは、その点異なると言わざるを得ない。そうしますと、砂川判決は、かなり苦

米地判決と同じ表現を使って、主権者である国民の最終判断に委ねるというような趣旨の判示もありますが、それに伝統的な裁量理論が加味されて、何かすっきりしない論理構成になっている、というふうに思われます。むしろ、条約について、一見明白に違憲である場合には審査が可能だという形で、違憲審査の可能性を残している点では、裁量行為論にかなり重点が置かれている、と言わざるを得ないのではないか、と思うのです。

その点については、しかし、これも統治行為論だというふうに解する学説もありますし、砂川判決のような論旨だと統治行為論とは違うのだ、という学説もあるわけで、統治行為の概念それ自体も決まっているわけではないわけですから、そこまで含めても、間違いとまでは断定できないのですが、本来の趣旨は、苫米地判決のような考え方が統治行為の理論と言われてきたものですから、この砂川判決は、それから外れている、というふうに考えざるを得ない、と思うのです。

●一見明白論が統治行為論に全部かぶると考えるのは問題

加賀美　砂川判決のような論旨を、むしろ統治行為論のあるべき姿として捉えてゆく、というのはどうでしょうか。一見極めて明白に違憲であるものの判断は、いくらそれに適していないと言われる裁判所にとっても、その能力の限界を超えるものとは思えませんが。

芦部　ただ、一見明白に違憲無効ということが、それほど明らかかどうか、という問題があるわけです。一見明白に違憲である場合には審査できると言っても、恐らくそういう場合はほとんどあり得ないわけだから、審査をシャットアウトしたのと同じことになる、という批判が強いのも、そのためです。砂川判決の場合にも、裁判官の間にいろいろの意見の対立があって、統治行為論をとる裁判官と、裁量行為論をとる裁判官があり、また、反対意見もありましたので、多数意見をまとめる際に、妥協的な産物としてこういうすっきりしない判決になったのではないか、と思われるわけです。ですから、一見明白論が統治行為論に全部かぶる、と考えるのは、問題があると思うのです。

もっとも、横田喜三郎先生が国家学会雑誌（七三巻七号・八号）に発表された「条約の違憲審査権」という論文に、およそ一見明白に違憲無効などということはあり得ない、という趣旨のことを書かれております。学説上もそういう意見が非常に強いことは、ご存じだと思いますが、もしこのように「あり得ない」と考えると、これは、統治行為の理論だとも言えます。ですから、田中二郎先生などは、これを統治行為論の判例として挙げておられるわけです。しかし違憲審査の可能性が残されていると考えますと、それは裁量問題ですから、統治行為ではないということになりますね。

第5章　違憲判決の効力

（12）**昭和五八年一一月七日判決**（トビラ写真——大平首相の遺影の前で、ダルマに目を入れる桜内自民党幹事長・朝日新聞社提供）

昭和五五年六月二二日に行われた選挙は、衆参両院同日、大平正芳首相の急死、ロッキード問題と何かと話題が多かったが、衆議院議員選挙に関して、東京・神奈川・埼玉・千葉・大阪の一二の選挙区の選挙人らは、議員定数の不均衡は憲法一四条に違反するとして、各都道府県の選挙管理委員会を相手に選挙無効の訴訟を提起した。

最高裁大法廷（昭五八・一一・七判時一〇九六・一九）は、三・九四倍の格差は憲法の要求する選挙権の平等に反する、としながら、昭和五〇年の定数配分規定改正により不平等状態は一応解消されたこと、五五年選挙はこの改正からほぼ五年後で格差是正のために国会に認められた合理的期間内であること、を理由に五五年当時の定数配分規定を憲法違反と断定できない、とした。しかし、なお書において、定数配分規定が「できる限り速やかに改正されることが強く望まれる」とした。

（ジュリスト昭和五八年度重要判例解説一一頁）

I　事情判決の手法の評価

●事情判決にはどのような背景があるか

村山　では次に、違憲判決の効力の問題に移りたいと思います。

山田　違憲判決の効力の問題ですが、一般的な違憲判決の効力ではなくて、ここでは、主に、議員定数不均衡判決で出てきた判決の効力について、先生にお聞きしたいと思います。

この議員定数配分不均衡の判決では、事情判決の法理という特異な理論がとられたわけです。これは、行政事件訴訟法三一条の条文を法の一般原則として援用致しまして、定数配分が不均衡であるとして、違憲判断を下しながらも、不均衡な定数配分で行なわれた選挙それ自体は有効とする判決でした。

この判決のように、民主政の過程で重要な意義を持つ選挙において、選挙権の平等の侵害を認めつつも、事情判決の法理を援用することは、問題があると思います。にもかかわらず、事情判決の法理を援用するのは、種々の理由があると考えられますが、その理由を先生の事情判決の法理に対する評価とあわせてお聞きしたいと思います。

芦部　定数違憲訴訟は、非常に特殊な訴訟で、違憲判決の政治的効果も、大変問題になる、そういう事件ですので、昭和三九年に参議院の定数訴訟について初めて最高裁判決（PART1三四頁）が下った当時から、その判決の中で補足意見という形で斎藤裁判官が触れられていた点ですが、学説上も、どういう方式の違憲判決があり得るかという点について、いろいろ議論されてきました。この点は、大体ご存じだと思います。

と言うのは、前回（PART1）人権問題を扱った際にもお話したことですが、定数訴訟は選挙が行われた後で、選挙無効という形式で争われるわけで、公職選挙法が本来予定していた訴訟ではないものですから、仮に違憲という実体的な判断がなされても、それではどういう判決を下すのか、違憲だから全部選挙をやり直すという、これが一番すっきりしているわけですが、そういう趣旨の判決を下すのか、その辺のところが全く分からない。というのは、違憲だから選挙をやり直すとしますと、新しい定数表をどういうふうに、どの国会がいつまでに行うかというと、再選挙を行う期間は公職選挙法上限定されていますし、第一、無効な選挙で選ばれた国会が定数再配分をすることができるのかどうか、さらに、違憲という判決が出るまでの間に行われた国会の諸行為の効力はどうなるのか、そのこと自体が大問題です。とにかく、アメリカと違って、選挙の後で定数訴訟が行われる建前に日本ではなっているものですから、判決の出し方が大変難しいわけです。いろいろ意見があったのですが、結局、五一年の最高裁判決（PART1三八頁）では、事情判決の法理を、法の一般原則という形で援用して、違憲だけれども選挙は有効という違憲宣言にとどめる判決が下されたわけです。

●事情判決よりもより具体的判決手法もありうる

芦部　ですから、結論としては、確かに、選挙権の平等を保障するということにもなっていないし、判決の拘束力も問題になりますので、人権保障という点から言うと、それほど十分な判決とは言えないわけですが、ただ、しからば、これに代わるどういう判決方法があるか、ということが、必ずしもまだ学説上も十分詰めた意見として、具体的に出されているわけではない。この場合に、裁判所がアメリカ法的に、ある種の具体的な再配分のやり方を示すような判決を下すことができるかどうか。あるいはそれを、当該事件でなく、次の選挙から施行するような形の、いわば立法改革を要請するような判決ができるかどうか。何しろそういうアメリカ法的な手法はまだ日本の伝統的な考え方にはなじみの薄い判決方法ですので、裁判所では踏み切れないでしょうし、学説でも十分に固まった具体的な意見はまだ出ていない。私は、アメリカ法的な手法をとることも一定の限度内では可能だし、そうしたからといってその判決が司法の概念と矛盾しないだろう、というふうに思っていますが、まだこれという具体的な納得のゆく提案をすることができないでいます。しかし、こういう類型の事件ですと、司法が具体的な是正案を判決で示すことはできるというのが英米法学者でも有力な意見として主張されておりますので、この事情判決の法理を使わない、もう少し具体的な判決手法というものもあり得るとは思います。

ただ、この判決は、こういう特殊な定数訴訟について編み出された考え方ですので、生ぬるい点は確かにあるのですが、当時は、一つの優れた解決方法として、学界でも、一般には高く評価された手法であったわけです。ただ、公職選挙法では、事情判決にはむしろ否定的な条文もありますし、事情判決そのものが、行政事件訴訟法に規定される際に大変問題になった判決手法ですので、それを、この事件で、法の一般原則でもあるという形で援用した点については、きびしい批判も一方であります。私も、その点では、大変問題であると思うのですが、従来、それまでの間に考えられてきたいろいろの手法、考え方よりも、この種の事件の解決策としては優れた面が多くあった、というふうに思いますから、私としては、いろいろ問題もあると思うのですが、五一年のケースでこういう新しい判決方法が編み出された、つまり、そういう意味で、司法の創造的な機能が発揮されたという点は、高く評価してよい、というふうに思うのです。

Ⅱ　国会への要望の意味

●判決の拘束力は弱いけれど評価はできる

山田　最近の判決と致しまして、五八年の一一月七日に議員定数配分不均衡の判決[12]が出ました。その判決で注目されたことと致しまして、国会への要望が付記されていた点があります。そこで、判決の拘束力の程度および評価について、先生のご意見をお伺いしたいと思います。

芦部　五一年判決は、いまお話したとおり、実体的には違憲という判断をしながら、判決の手法としては事情判決の法理を使って、違憲だけれども選挙は有効、という結論をとったのですが、一一月七日の判決は、実体的には違憲とまで断定はしていない。違憲の疑いがあるというところですので、その点では、五一年判決とニュアンスを異にしているわけです。しかも、事情判決の法理を使わないで、一応、結論としては合憲というふうになっているのは、五一年判決で使われた、合理的期間内に改正が行われたかどうかという基準を使ったからです。これは、かなり主観的な判断の入る基準と言いますか、原則なのですが、今回の判決は不均衡の程度は違憲状態にあるけれども、まだ合理的な期間内であると判断し、五一年判決と違って合憲という結論をとっているのです。事情判決の法理を使わないで、国会に対する改革の要望というような趣旨の、一段と弱い形の判決手法がとられたわけですね。

こういう要望というものを入れるのが、そもそも望ましいか、妥当かというような問題もありますが、先程お話した、この種の事件の特殊性から言えば、私は、判決の合理的期間論には反対の意見を持っておりますが、一応、多数意見の論理というものを前提にして考えますと、判決に国会に対して早急な改正を要望するという趣旨の意見を盛り込むことは、許されてよいし、場合によっては望ましいのではないか、と思います。

ただ、これは、判決の拘束力の問題という一般的な問題になるのですが、違憲判決であれば、それは拘束力があるということになるわけですけれども、その場合でも、刑法二〇〇条の違憲判決のように、事実上改正が行われないというような事態になる可能性もあります。したがって、その拘束力とは一体何であるのか、というわが国でも学説上意見の一致しない難しい問題もあります。そこで、国会への要望ということになりますと、これは、文字どおり要望ですから、拘束力という点では、非常に程度は弱いわけです。それでも、一一月七日の判決は、全体を総合して考えてみますと、結論は合憲なのですが、次の国会では定数の改正をしなければならない、という政治的・道義的な義務づけを、国会に課していると読めるわけで、その点で、かなり評価に値すると思うのです。

第6章　司法の積極性と消極性

トビラ写真——一九八〇年四月一九日、オハイオ州クリーブランドで、裁判所の命令による公立学校の別学撤廃が実施された。写真の歓迎を受ける黒人少年達は、白人地区のジュニアハイスクール入学の為、スクールバスで到着したところである〈ワイド・ワールド・フォト（ＷＷＰ）提供〉。

Ⅰ　司法の積極・消極の意味

●アメリカ法の歴史的意味をまず理解する

村山　では、最後に、司法の積極性と消極性、という問題についてお伺いしたいと思います。司法の積極・消極と言われる場合、その言葉の意味について一致が見られていない状況にあるのではないか、と思われます。要は言葉の定義の問題ですから、それぞれの論者が、自分がどういう意味で用いるのかを明示して議論する分には、それはそれで構わないこととは思いますが、そのような中にあって、先生はどのような意味でこの言葉を用いられるのか、また、どうしてそのような意味で用いられるのか、という点について、まずお伺いしたいと思います。

芦部　これは、いま言われたとおり、言葉の問題ですから、いろいろな使い方があるわけですが、私は、憲法訴訟と言いますか、違憲審査制というものを、最初にお話したような趣旨でとらえておりますので、付随的違憲審査制の典型的な国であるアメリカでの議論というものを、それが日本にそのまま妥当するとは考えないのですが、正確に理解した上での日本の議論でなければならない、という考え方を前提にしております。そしてまた、日本でこれから憲法訴訟論を展開、充実させていくために、先進国とも言えるアメリカ法の理論が、多くの点で極めて参考になるし、裁判実務の上でも実践的な意味を持ってくる、というふうに考えております。それで、司法の積極・消極の問題を考える場合でも、その歴史的な意味をまず明らかにしておくことが、必要だと思うのです。

●「二重の基準」論から積極・消極のフィロソフィーが生まれる

芦部　歴史的な意味と言うと、アメリカ法でどういうふうにそれが展開されてきたか、ということですが、それを見てみますと、主として一九三〇年代において、特にニューディール立法を契機にして、それが合憲か違憲か争われた際から問題になってきて、四〇年代、五〇年代にかけて、積極主義、消極主義のいずれれを、どの分野の憲法訴訟に、どのように用いるべきかという、司法の在り方が争われたわけです。四〇年代から五〇年代にかけて、アメリカの最高裁には二つの大きな流れがあって、日本で当時、保守派と自由派との対立というようなことも言われました。そういう大きな分け方自体には問題があるかも知れませんが、要するに、司法の自己制限を強調するフランクファータ(F. Frankfurter) 裁判官の考え方と、司法は少なくとも精神的自由の領域ではむしろ積極的であるべきだ、ということを主張するダグラス (W. Douglas)、ブラック (H. Black) 両裁判官の考え方がきびしく対立していたということです。

この場合、積極・消極というのは、どういう意味だったかと言うと、違憲審査権を行使する場合に、政治部門すなわち立法部・行政部という政策決定者 (ポリシー・メーカーズ) の決断に対して、最大限度、謙譲と敬意（modesty and deference）を払うべきだという考え方、これを司法消極主義と呼んでいたのです。

したがって、ただ単に、憲法判断に積極的か消極的かという基準での分類ではなかったのです。もっと具体的に言えば、「二重の基準」（double standard）の理論と絡み合わせて、積極主義の主張者ダグラス、ブラックの側は、精神的自由の場合には、政治部門に対する「謙譲と敬意」を払わず、厳格な基準で審査すべきだと主張しましたし、フランクファータの側は、そういう事件であっても、経済的自由と特に区別しないで、合理性の基準で審査してよろしい、というような考え方をとったわけです。

ですから、ダブル・スタンダードの理論との関連で、議会の判断にどの程度のディファアレンスを払うかという点で、消極的か積極的かという二つのフィロソフィー、司法の在り方の区別がアメリカで論議され、学説上も、そのどちらのフィロソフィーを支持するかをめぐって、激しい議論が展開されてきたのです。そういう意味で、日本で司法は積極的であるべきか消極的であるべきかということを考える場合でも、アメリカにおける議論と同じように考えた方が、分かりやすいし、それで何ら不都合はないのではないか、と思うのです。

特に、私は、この前の人権の所（PART1）で最初に述べた憲法論、それから、今日の最初の所で述べた憲法訴訟論のような考え方をとっておりますので、人権論については、基本的には、憲法の実質的最高法規性の理論を前提にし、違憲審査基準として「二重の基準」論を基本ルールとしてとっているわけです。そこで、違憲審査の基準も、経済的自由と精神的自由の領域について、分けて考える。分ける場合に、いま言った問題が出てくるわけで、経済的自由の領域については、一定の場合、政策的判断すなわち立法政策を広く認める、それが司法消極主義であるわけです。しかし、そういう立法政策を、精神的自由の領域については原則として認めない、これが司法積極主義になるわけです。

そういうふうに二つに割り切って考えることに、現代国家の憲法では、社会権のほか新しい人権の登場とか、自由権と社会権の区別の相対化とかいうようなほかの問題も突きつけられておりますが、やはり二重の基準が原則なのです。私はこういうような意味で、積極・消極という二つの司法の在り方を考えているのです。ですから、ほかの、いろいろな定義づけないし考え方もあり、それはそれで意味もあると思うのですが、私はそういう人権論とのかかわりで、アメリカで一九三〇年代から今日まで問題にされてきた所を考慮に入れて、日本でも積極・消極の問題を考えた方がよいのではないか、と考えているのです。

●オールド・アクティビズムとニュー・アクティビズム

村山　いまお話いただいたような、そういう意味で言葉を使った場合、進歩的な立法に対して、反動的な立場から違憲判決をする場合と、その逆に、反動的な立法に対し、進歩的な立場から違憲判決をする場合、これを共に積極主義と呼ぶことになると思いますが、このようなとらえ方は適切さを欠くことになるのではないか、という印象を抱かないでもないのですが、どうなのでしょうか。

芦部　その場合、しかし、どういう領域の立法か、ということによるわけです。「二重の基準」の理論を離れて一般的に考えますと、ルーズヴェルト大統領による最高裁裁判官の入れ替え（一九三七年）によって分けられるオールド・コートとニュー・コートを対比してみれば分かりますが、積極主義にもオールド・アクティビズムとニュー・アクティビズムとがあるということになります。前者は、まさに進歩的立法を保守的な立場から違憲とした司法の在り方ですし、後者は、反動的立法を進歩的な立場から違憲とした司法の在り方です。ですから、確かに、オールドとニューという形容詞をはずして考えると、「両方とも積極主義と呼ぶのはおかしい」とも言えます。しかし、「二重の基準」の理論と結びつけて考えますと、オールド・アクティビズムは司法の在り方として正しくなかったことになるわけです。

そうだとすれば、村山君がいま言われたのは、同じ領域の、例えば精神的自由の領域での立法、ということを前提にした場合の問題だということになるのでしょうね。ただそれは、裁判官の構成と議会の構成によって違ってくる問題だと思います。つまり、どのような積極・消極の定義付けをしようと、それは、議員がどういう方式で選ばれて、議会がどういう構成になっているのかとか、裁判官がどういう方式で任命され、どういう構成の裁判所になっているのかとか、結局、そういう問題になるのではないでしょうか。問題は、具体的な国会の構成の在り方とか、裁判官の任命の方法であるとか、そういう所にあるのではないのですか。

村山　私は、憲法の掲げる基本的な価値の擁護に対して積極的であるか、消極的であるか、というふうに概念構成をしたらどうだろうか、と考えているのです。そのように構成した方が、現状を分析し、批判するための概念としては有用なのではないかと。この辺は、土俵が違っているような気もしますが。

芦部　基本的には、司法の在り方は、積極か消極かというふうに、二つで割り切れる問題ではなくて、この問題が起こったそもそもの由来は、要するに、ダブル・スタンダードと結び付いて説かれてきているわけです。つまり、アメリカでは、司法は経済的自由の領域では消極、精神的自由の領域では積極のアプローチをとるべきだが、そういう使い分けをどういう形でするか、ということで問題になり議論されてきているわけです。その使い分けというのは、要するに、いかなる違憲審査基準を、いかなる場合に、どういう形で使うかということと、その場合に、ジャスティシアビリティーの問題とか、先程来ここで議論してきたような問題も関連してきますが、基本的には前回扱った違憲審査基準をどう使い分けていくかということで、積極か消極かが問題にされてきたわけです。

●司法消極主義をマイナスのイメージでとらえては間違い

芦部　したがって、問題は、積極ということに、どういう意味付けを与えるか、ということになります。つまり、消極という司法の在り方をマイナス・イメージで考えるかどうかということです。マイナス・イメージではなくて、積極イメージと言うか、プラスの意味もあるわけでしょう、消極には。司法は消極的であると言うのは、司法の本来の在り方でもあるわけでしょう。要するに、違憲審査というのは、議会の立法、議会の行為を否認するか、肯定するかという問題です。ですから、国の政治組織が、立法・司法・行政という権力分立という形になっている場合に、司法と立法の関係、そのバランスの問題、ということが基本的な前提になっているわけですね。

ところが、立法は、国民主権を基本原理とする憲法の場合には、最も国民を直接に代表する最高機関です。違憲審査は、その行為を否定するか肯定するかということですから、司法は、本来、受身でなければならない。司法は受動的かつ消極的な権力であるわけです。その消極的・受動的な権力が、最高機関である国会の行為を否認するか、肯定するかという問題が違憲審査ですから、いかに違憲審査権に憲法保障の機能が期待されていると言っても、また、「司法主義」が現代憲法の共通の原則になってきていると言っても、やはり権力分立という考え方から、一定の限界が、本来、司法には内在しているわけですね。

●司法の積極性が問われるとき

芦部　ですから、その場合、政治部門に対するディファレンスというのは、一応、原則になっているわけです。そのディファレンスをどこで断ち切るか、どういう領域についてディファレンスは原則としてあってはならない、と言うか、むしろ、それがない領域というものがあるかと言うと、それが合憲性推定原則の妥当しない、そしてダブル・スタンダードの考え方を基礎として「優越的地位」が認められる精神的自由の領域だということです。

少なくとも、その領域に司法が積極的に関与しないと、先程のマジョリタリアン・デモクラシーの考え方ですべて割り切られてしまう。そこで、マジョリタリアン・デモクラシーの原則から落ちこぼれた、特に社会的弱者の権利を保護しなければならない。それを保護することが司法の責務であり、それが憲法によって期待されている違憲審査権である、そういうふうに考えられているわけです。

立法、行政は、国民の多数者を代表しているわけですね。けれども、少数者の権利も、こういう多元化した社会では、極めて重要な、明日の多数者になり得る、そういうパートであるわけですから、その権利をだれが保障するかと言うと、司法以外にはないわけです。デモクラシーの憲法の下ではですね。それを、だれがするか。その場合に、経済的な自由の場合ですと、デモクラシーの原則である言論表現の自由が十分に保障され、民主政の過程が正常に機能していれば、その政治過程によって不当な立法を矯正することができるけれども、選挙権とか表現の自由という精神的自由そのものが不当な立法によって歪められた場合には、民主政の過程（democratic process）自体が正常に機能していないわけですから、その場合には司法が積極的にその民主政の過程を回復しなければならないわけです。そういう場合に限って、司法は積極的であるべきだ、というので積極主義の哲学が説かれることになったわけです。

ですから、言葉の問題になるのだけれども、憲法論の枠組みの中で考えると、積極主義がプラス、消極主義がマイナス、というふうに割り切って考える、そのこと自体に問題がある。だから、消極主義も評価する。経済的自由の領域で消極主義であるのは悪いかと言うと、憲法の財産権の保障とか、職業選択の自由、これも基本的人権だから、最大限に保障されねばならない。しかし、司法はその領域で積極的であるべきだ、ということにすぐなるかと言うと、そうではなく、その点では、むしろ、消極的であるべきだ、ということになるわけです。

●違憲判断を下すか否かで積極・消極を分けるのは問題である

山田　私は、先生の言われた歴史的な意味でのダブル・スタンダードとの関係で、司法の積極・消極を考えることについては非常に賛成なのです。つまり、ダブル・スタンダードの枠組みの中で、精神的な自由の領域に対しまして司法が積極的に関与する場合に、ポリシー・メーカーの判断に対して、司法が少数者の人権保護のために、それが違憲であると思われた場合には、積極的に違憲判決を下すことが積極主義、というふうに言葉が使われているように思うのです。経済的自由の場合には、立法府・行政府の判断を最大限の謙譲と尊敬をもってその判断を尊重することによって、司法は自制すること、そういうことが消極主義ではないか、と理解しています。

しかし、その積極・消極という問題と、司法がポリシー・メーカーに対して、というよりも、積極的にポリシー・メーキングするか、しないかという問題は、また、別個の問題だと思うのです。ですから、言葉の定義の問題と、その効果の問題は、一応、分けて考える必要があると思います。

佐藤功先生は、憲法判断を行う場合に二段階のレベルがあって、憲法判断を行うか、行わないかという時のレベルと、違憲判断を下すか下さないかのレベル、その二段階を考えて、それで、憲法判断に立ち入るか、立ち入らないかで、立ち入る方を積極、立ち入らないのを消極。それは、憲法判断積極・消極、それから、憲法判断積極をとって、違憲判断を下すか下さないかで、違憲判断を下す方を積極、下さない方を消極。そして、この二つの段階構造を考えて、それで、司法の積極・消極と言った場合は、憲法判断に積極的に立ち入って、なおかつ、違憲判断を積極的に下す、そういうものを司法積極主義と呼ぼうと。後のそれ以外の場合を司法消極主義と呼んで、別段、司法消極主義をとったからと言っても、それは、ポリシー・メーキングの場面においては、非常に効果的な場合もあるのだと。積極的な役割を持つ場合もあるのだと。そういうふうに考えた方が、より明確になるのではないか、と思うのですけれども、先生は、この意見に対して、どう思われるでしょうか。ダブル・スタンダードの面においても、非常に適合的だと思うのですが。

芦部　その点は、昭和五六年の法学教室講演会で、*「司法積極主義と司法消極主義」というテーマでお話しした際に、佐藤先生のご意見にも触れて、私の意見は述べました。その際にも、ちょっと触れたのですが、司法の積極・消極を訴訟要件と言いますか、憲法判断に入るか入らないかという入口の所で分けること、これは当然のことなのです。それはそれで、何の異論もありません。ただ、実体すなわち中身に入った段階で、違憲判断をする場合が積極、そうでない場合が消極、というふうに割り切れるかどうか、割り切る意見について若干問題がある、ということを述べたのです。佐藤先生は、私の立場もそういう意見だというふうに紹介されて書かれておりましたが、結論的には、大体そういうことになると思いますけれども、講演の際にも触れたとおり、必ずしも違憲判断でなくとも、積極的な判決、先程説明したような意味で積極的な憲法判断もあるし、そうでない場合もある、これが最近のアメリカの状況なんですね。

＊　月刊法学教室一九八一年一〇月号六頁（後に『司法のあり方と人権』（東京大学出版会）所収）。

●現代型訴訟では違憲判断を伴わない積極的判決もある

芦部　それでは、違憲判断でない積極的な意味を持つ判決とは、どういう判決かと言うと、それが、最近の公共訴訟（public law litigation）と言われる新しい訴訟形態で下される憲法判断の典型的な場合です。現代型訴訟と言われるものですね。そこでは、違憲判断は下さない。しかし、非常に積極的な意味をもつ判決があります。例えば、バスによる強制通学制の実施を命じて大変問題になった黒人と白人の別学撤廃事件。これは別学制を違憲と判示した一九五四年のブラウン判決を受けている事件ですが、この事件で裁判所は、都市の中心部に住む黒人の子供たちを郊外の白人の学校、郊外に住む白人の子供たちを都市の中心部の学校へ、スクールバスで強制的に通学させることを行政機関に対して命令したわけです。日本では、そういう判決は、もちろんないけれども、アメリカで最近公共訴訟とか制度改革訴訟（institutional reform litigation）と言われる訴訟で、立法・行政の両部門に対して改革を命ずる判決が出ているわけです。

そうなってくると、これは、違憲とか合憲とかいう結論ではなくて、司法が立法府・行政府というポリシー・メーカーに対して最大限のディファレンスを払わず、積極的に救済策（remedy）を打ち出

Mr. Oliver Brown

He started the class action of Brown v. Board of Education of Topeka, Kan., which led to the U. S. Supreme Court's decision in 1954.

PHOTO・WWP

して、むしろポリシー・メーキングの機能を果たしていると言えます。その当否については問題はたくさんありますが、それはともかく、そういう形の判決方法を含めて考えますと、司法の積極・消極は、違憲か合憲かという結論だけでは分からないことになりましょう。日本でそこまで考える必要があるかと言えば、現在の訴訟法、あるいは訴訟の実務から考えると、不必要のように思われますし、「法律上の争訟」という枠組みの中で望ましいかどうかということも、かなり問題です。ですから、私がそういう判決方法を日本の実定法の解釈として認めている、というわけではないのです。

しかし司法は、立法・行政と同じく歴史的な概念ですから、議員定数不均衡訴訟の場合もそうですが、必ずしも今までのような判決方法だけしか司法権の性質上許されない、というわけではなく、もう少し形成的な形で判決を下すこともできるのではないか、と思います。少なくともその可能性はあり得る、というふうに思うのです。そうしますと、違憲・合憲という判決の結論だけで積極・消極を分けなくても良いのではないか。むしろ、分けると問題も出てくるのではないか、そういう趣旨なのです。だからよく考えてみると、実質的にはそれ程違いはないのですが、違憲か合憲かと二つに分けて、違憲判断をする場合は積極的、というふうに割り切ることはできない、ということなのです。

●積極・消極の概念より司法の中身が問題である

芦部　私の考え方ですと、積極・消極の概念をあまり考えても、それほど意味はない、むしろ中身が問題だということです。司法の在り方がですね。つまり人権の規制立法が問題になった際に司法がどう働くか、どういう基準で判断するか、そういう実際的な在り方が問題なので、その在り方を考えて、後でそれを積極・消極というふうに枠付けをして整理をすることは、それはそれで、意味がないわけではないのですが、何が積極主義か何が消極主義かというふうに、最初から概念について議論しても、あまり意味がない。ただ、アメリカにおける議論を歴史的に検討すると、先程述べたように発展してきたし、それがまた、人権論とのかかわりでわが国の憲法訴訟を考えていく場合に、最も問題になる点ではないかな、というのが私が司法の在り方を考えるときの基本的な前提です。

●違憲審査権の本質は?

山田　最初の方に戻るのですが、先生は大陸法系でも憲法の実質的な最高法規性が確立されることによって、憲法訴訟という概念が確立されてきた、というふうにおっしゃったと思うのですが、そうすると、憲法の実質的最高法規性、これすなわち「法の支配」だと思うのですが、それが憲法訴訟において問題になる場合には、やはり、客観的法の保障、個人の権利の保障を行うか行わないか、すなわち、先程、村山さんが言われたとおりに、憲法の価値理念、それに対してダブル・スタンダードとかね合わせて積極的に関与するか、あるいは、ポリシー・メーカーとしての役割を果たすか果たさないか、というふうに考えてよろしいのではないか、と思ったのですが。先程、土俵が違うと言われたのですが、そこまで広げてしまうと、村山さんの考え方でもよいのではないか、というふうに思ったのです。憲法の価値理念を保障する、という一つの目標があって、そこで、積極的にポリシー・メーカーとしての役割を果たすか、消極的に自制を行うか、そういうことになるのではないか、と思うのですけれども。

芦部 それは、それで、そのとおりなのですが、ただ、具体的に憲法の価値理念を具体化する、実現する、それに積極的なのが積極主義だと言われても、ダブル・スタンダードとかみ合わせて言えばよいのですが、かみ合わせない形でいきなりで言うと、それでは、財産権の価値を実現するのが積極主義だと単純に言えるかどうか、という疑問も出てきますね。財産権には大きな制約が憲法でもかぶさっているし、「二重の基準」論では、むしろ司法は消極的であるべき分野ですし、問題の性質から言っても、議会の政策判断を広く認めていかなければならない領域ですから。そういうことです。

山田 一つまだ疑問に思うのですが、違憲審査権の本質といったものは、一体、どのようなものなのでしょうか。違憲審査というものは、他の二者のポリシー・メーカーに対して、司法が違憲判断を下せること自体に意義があるのだと思うのですが、この点に関して、先生はどういうふうにお考えでしょうか。

芦部 そのこと自体は、そのとおりなのです。つまり、従来、違憲審査権は、少なくとも大陸法的な考え方では、民主主義に反するとして否定されていたわけでしょう。それを認めたということは、司法は憲法にてらして、立法・行政という政策形成者の判断を否定することができることを認めたわけですね。したがって、そこに違憲審査権の本質があるということになりますから、その点では、佐藤先生のお考えに何も異論はありません。それが「法の支配」ですよね。

ただ、繰り返しになりますが、訴訟の形態を考えないといけない、と思うのです。例えば新しい現代型訴訟というものも射程に入れて考える、ということですね。現在の日本の実定法の下では、山田君が言われるように割り切っても、あるいはよいかも知れないけれども、司法の概念を固定的に考えることも問題ですから。

●司法は歴史的概念である

芦部　その点をちょっと付言しますと、例えば、日本にはアメリカ法的な衡平法の伝統はありませんね。そして、西ドイツのような憲法裁判を含むような形の裁判権として司法は考えられていません。そういう点では、伝統的な司法権の概念が前提となって憲法訴訟の構造が組み立てられているわけです。しかし、国家作用の区別と概念は歴史的なものです。例えば、行政権については、伝統的な控除説を排して積極的な概念規定をこころみる積極説が有力になってきているし、立法権についても、例えば、処分的法律も立法だ、というような説が日本でも、田中二郎先生の『行政法総論』(有斐閣)をはじめ、かなり多数の学説で主張されていますよね。司法についても、憲法八一条の解釈として、抽象的違憲審査権も法律で定めればできるという学説があることはご存じでしょう。そうなると、それは伝統的な司法権の枠を全く逸脱してしまうわけですが、それもできるという有力な学説が現在でもあるわけです。

つまり、司法権も立法権・行政権と同じように歴史的な概念なのだから、あるいは、先程の定数訴訟の場合のように、もうちょっと違った判決方法というものもあり得る、と考えられるかも知れない。また、当否は問題ですが、違憲・合憲という、ただそれだけではなくて、司法に期待過剰かも知れないけれども、アメリカの現代型訴訟的なものまで行うことを認めるような、そういう考え、制度もあり得るかも知れない。そういうことを考えますと、あまり、違憲・合憲で割り切る必要もないし、割り切らない方がよい、そういう趣旨です。

Ⅱ　司法の在り方

●司法は原則として消極的に対処すべきである

村山　それでは、司法の在り方、という問題に入りたいと思います。先生の用いられる言葉の意味において、精神的自由の領域にあっては積極主義、経済的自由の領域にあっては消極主義が、基本的には妥当するというふうにおっしゃるのは、そのような司法の在り方が、わが憲法の基本的な価値の実現にとって、最も適合的だとお考えになっているからだ、と思うのですが、そのような理解でよろしいのでしょうか。

芦部　そういうことですね。

村山　その場合、経済的自由の領域の問題は、基本的には、投票箱と民主政の過程によって解決されるべき、ということになっていますが、現代の日本にあっては、投票箱と民主政の過程がかなり重度の機能障害に陥っているのではないか、とも考えられるように思います。このような現状を前にした場合でも、なおかつ、経済的自由の領域にあっては消極主義と言ってしまって、いわば現状に目をつぶってしまって、よいものなのでしょうか。

芦部　それは、現状の見方にもよります。ただ、先程ちょっと触れたし、前の人権（PART1）の所でもお話したのですが、ダブル・スタンダードの考え方ですと、経済的自由の領域については、精神的自由が確保されている場合には、民主政の過程そのものは正常に動いている、運営されている、そういうことは言えるわけです。実態はともかくとしてですね。選挙が自由に行われ、そして、言論の自由が確保されていれば、選挙の在り方については、いろいろ問題があるかも知れないけれども、国民の意思は国会に反映される仕組みになっている、というふうに、一応、前提として考えられるわけでしょう。そうすれば、そこで作られた法律が仮にいろいろ問題があるにしても、それがもし不当だとすれば、国会、つまり「民主政の過程」で矯正していくことは、論理的にはできるわけです。少なくとも、そういう建前になっているわけです。ですから、その場合には、司法消極主義が妥当する。

そういう論理ですけれども、それだけではなく、裁判所の能力ということも一つの大きな理由です。現代の福祉国家の時代の社会経済立法については、その適否を判定する上で裁判所の能力には限界があるということです。つまり、そういう問題については、立法政策を認めてもよいし、認めなければならない、ということで司法は消極的でなければならない、ということですね。それが建前であり、原則だということなのです。

けれども、現在の機能障害という、その辺のところはかなり判断に違いもあり得ますが、確かに、民主政の過程にはいろいろ問題はあります。これは選挙の方法についても、定数配分についてもそうですし、国民の政治意識の問題もあるでしょうし、政党に関する問題も少なくありません。それらを全部総合して考えると、では、どういう状況になれば司法は積極的であるべきか、消極的であるべきか、それを決めることは非常に難しいわけです。それでも、日本の憲法の運用を検討し、現在の政治状況を考えますと、経済的自由の領域では司法消極主義が妥当すると言っても、私は、戦後のアメリカ憲法判例でとられたような、司法の「無干渉」(hands-off) にもなる「合理性」の基準は、日本国憲法の違憲審査基準としてはきわめて問題で、あくまでも司法審査の可能性を残す基準でなければならないと主張してきているわけです。

ただ、本来、先程お話したとおり、司法という機能は消極的・受動的な作用です。そして、いま述べたような「民主政の過程」を基本に現在の憲法が組み立てられているものですから、違憲審査の場合にも、少なくともその領域は、司法は原則として消極的な考え方で対処してよい、また対処すべきではないかという、そういう考え方です。

●司法は本来受動的・消極的なものである

山田　先生は、歴史的には司法というものは消極的な権力である、というふうに、おっしゃられたわけですが、それは「法の支配」という概念が入ってくる以前の司法の在り方ではなかったか、というふうに私は思うわけです。「法の支配」というものが入ってくる以前、すなわち、法律上の紛争に関する判断が裁判所の仕事であった、そういう時代には、そのように考えても良いかも知れませんが、「法の支配」というものが実質的に確立され、憲法の実質的最高法規性が確立した段階では、司法はその時点で消極的な機関ではなくて、権力的な、正に積極的な権力に変わったのではないか、というふうには見られないでしょうか。

芦部　その点は、言葉の問題も若干入ってくると思うのですが、私は岩波講座『基本法学』の第六巻「権力」で、「司法における権力性」というテーマを分担した際に論じました。そこで、いま言われたような趣旨から、司法は権力性の強い性格の作用であることを指摘しましたので、詳細はそれを参照して下さい。ただ、権力性が強くなったと言っても、やはり司法は、立法、行政と比べると、受動的な作用であることは確かでしょう。司法は、訴えが提起されなければ発動されませんが、立法や行政は、むしろ反対に積極的に活動しなければならない。また、司法は、歴史的な沿革から言っても、国によっても事情は違いますが、本来、消極的な権力と考えられ、特に十九世紀までは法律の解釈・適用に限定された作用としてとらえられていたわけですね。その点は、特にフランスにおいて顕著で、司法は立法・行政と並ぶ「権力」ではないというふうに考えられていたわけです。

ところがその後、特に二十世紀になって、司法の法形成機能が、各国で広く認められるようになり、それに更に、違憲審査権が加わって、権力性をきわめて色濃く持つ国家作用となってきたわけです。しかし、それでもなお、司法という権力の性質は、相対的には、受動的で消極的なのですね。しかしその消極的という意味は、司法消極主義と言う場合の消極とは、ニュアンスが違うことに、注意を要します。

村山　それでは、これで終わりにしたいと思います。どうも、ありがとうございました。

■あとがき

この学生諸君との座談会は、論文の執筆や講義と違って、私には一つの楽しい企画であったが、一方でまた、かなりしんの疲れる会でもあった。

私は、学生諸君が憲法のどのような問題について、どういう疑問をもち、どういう論点を知りたがっているのか、そのこと自体に大きな関心をもち、そこにこの企画の重要な一つの意味があると考えていたので、項目の選定は学生諸君の自由に任せた。したがってPARTⅠ・Ⅱとも、章別と章の中の柱の作成は、学生諸君が討議して決めたものである。私は一回の座談会の時間の制約を考えて、項目数について若干の感想を述べたにとどまる。

こうして作られた目次を私は事前に渡されただけで、特に打ち合わせなしで座談会にのぞんだので、具体的な個々の質問にはかなり配慮を払いながら答えたが、質問と解答が十分にかみ合っているかどうか、質問事項に対して適切な解答がなされているかどうか、問題のある点もあろうかと思う。また、企画の性質上、立ち入って議論する性質の座談会でないので、初学者でも理解できるように、できる限り問題の基本に立ち戻って説明するよう努めたため、かなり憲法を勉強された読者諸賢には物足りない点が少なくないことと思う。

こういう不十分な点はあるが、憲法の重要な論点の基本を理解し、あるいは整理するうえで、このシリーズが役立つことを心から期待する。なお、有斐閣編集部長の大橋祥次郎君、および事件・判決の解説のほか本文中の文献引用の注記や小見出しの作成等に労を払われた大井文夫君に、感謝の意を表したい。

一九八四年六月

芦部信喜

有斐閣リブレ No.2——————憲法の焦点 PART2・憲法訴訟

1984年7月10日 初版第1刷発行 ©

定価 580円

著 者 芦部信喜

発行者 江草忠敬

印刷・製本 法令印刷

発行所 株式会社 有斐閣

〒101 東京都千代田区神田神保町2—17
電話 (03) 264-1311 振替 東京 6-370
京都支店〔606〕左京区田中門前町44

憲法の焦点
PART 2　憲法訴訟 ―芦部信喜先生に聞く―（オンデマンド版）
有斐閣リブレ

2013年5月15日　発行

著　者　　芦部　信喜
発行者　　江草　貞治
発行所　　株式会社 有斐閣
〒101-0051　東京都千代田区神田神保町2-17
TEL　03(3264)1314(編集)　03(3265)6811(営業)
URL　http://www.yuhikaku.co.jp/

印刷・製本　　株式会社 デジタルパブリッシングサービス
URL　http://www.d-pub.co.jp/

AG706

ISBN4-641-91198-3　Printed in Japan